Ma race est la meilleure

LUCK MERVIL

Ma race est
la meilleure

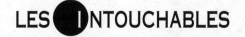

Les Éditions des Intouchables bénéficient du soutien financier de la SODEC et du Programme de crédits d'impôt du gouvernement du Québec.

Nous remercions le Conseil des Arts du Canada de l'aide accordée à notre programme de publication.

Nous reconnaissons l'aide financière du gouvernement du Canada par l'entremise du Programme d'aide au développement de l'industrie de l'édition (PADIÉ) pour nos activités d'édition.

LES ÉDITIONS DES INTOUCHABLES
4701, rue Saint-Denis
Montréal, Québec
H2J 2L5
Téléphone : 514-526-0770
Télécopieur : 514-529-7780
www.lesintouchables.com

DISTRIBUTION : PROLOGUE
1650, boulevard Lionel-Bertrand
Boisbriand, Québec
J7H 1N7
Téléphone : 450-434-0306
Télécopieur : 450-434-2627

Impression : Marquis imprimeur inc.
Photographie de la couverture : Karine Patry
Conception de la couverture et infographie : Geneviève Nadeau
Révision, correction : François Mireault, Maude Schiltz
Collaboratrice spéciale pour la recherche : Élyse-Andrée Héroux

Dépôt légal : 2008
Bibliothèque et Archives nationales du Québec
Bibliothèque nationale du Canada

ISBN : 978-2-89549-319-8

SOMMAIRE

INTRODUCTION

Nous sommes en mars 2006. Je me trouve à Gaoua, un petit village du Burkina Faso où vivent 3 000 habitants. Des femmes d'un certain âge, à partir de 50 ans, je dirais, jusqu'à 80 ans, ont mis sur pied une coopérative de production de beurre de karité, cet ingrédient qu'on retrouve dans plusieurs produits pharmaceutiques de soins de beauté – et les produits qui en contiennent très peu coûtent déjà très cher. Dans cette coopérative de Gaoua, tout est fait de façon biologique, de façon artisanale. Les travailleuses pilent les noix et barattent le beurre à la force de leurs bras. Certaines de ces femmes ont plus de 65 ans, et elles barattent énergiquement le beurre épais de karité dans de gros réceptacles de bois. Elles grillent les noix dans une marmite, elles parfument le mélange… Tout est fait de façon rudimentaire. C'est hallucinant de les voir travailler si fort. Il fait 40 degrés à l'ombre. Quand vient le temps de baratter, quand elles en sont à cette étape cruciale et abrutissante de la production, les femmes se tiennent face à face, de chaque côté de chacune des 12 cruches. Elles empoignent un genre de gros mortier géant et frappent chacune à leur tour en chantant des airs d'un répertoire millénaire pour rythmer leur travail éreintant. Elles dansent, elles rient, elles se taquinent, et c'est une fête ! Pourtant, elles travaillent avec acharnement. Ça peut durer des heures comme ça. Faut voir leurs bras, à ces p'tites dames : elles sont costaudes ! À la fin de la journée, fières et souriantes, elles rentrent chez elles à vélo. N'oublions pas où nous sommes : ici, les pistes cyclables sont rocailleuses, il fait très chaud, les vélos électriques sont plutôt rares et la maison est à des kilomètres.

Cela dit, ce travail a quand même totalement changé la vie de ces femmes. Dans leur petit village du Burkina Faso que personne ne connaît, elles produisent, à la sueur « biologique » de leur front, des tonnes de beurre de karité annuellement. Elles font affaire avec les marques internationales les plus connues de l'industrie du cosmétique. Elles leur vendent leur beurre de karité, qu'elles produisent, empaquettent et présentent comme il se doit. Elles ont des ordinateurs… On leur a appris à gérer leur affaire, et aujourd'hui elles administrent très bien leur commerce.

Pendant que je regarde travailler ces femmes africaines, je pose à l'une d'elles une question fort anodine de la part d'un Occidental pour qui la productivité, l'efficacité et la rapidité d'exécution sont un gage assuré de profit : « Vous savez, vous pourriez utiliser un malaxeur, ça irait beaucoup plus vite ! Le travail serait peut-être même mieux fait. Ça vous prend du temps, et c'est un dur travail ! Pourquoi n'équiperiez-vous pas votre coopérative de ces machines ? » La dame me regarde avec un petit sourire et me répond : « Si je faisais ça, je ne pourrais plus être en face de ma consœur. Je ne la rencontrerais pas, je ne chanterais pas avec elle. Et peut-être même que je ne l'embaucherais pas, parce que la machine ferait son boulot. Il y aurait moins de travail. Une seule personne, deux peut-être, posséderaient toute la coopérative ; elles, elles seraient riches, et toutes les autres, nous serions toutes des mendiantes. Nous savons qu'il existe des malaxeurs, mais nous avons fait le choix de ne pas en utiliser. Parce que sans malaxeur, nous travaillons toutes. Ensemble. Nous nous connaissons toutes, nous nous parlons, nous avons appris notre métier à peu près en même temps, et les choses entre nous sont bien équilibrées. Personne ne jalouse personne ici, parce que nous recevons toutes à peu près le même salaire. Nous n'avons rien contre la technologie et les machines que vous avez créées. D'ailleurs, nous avons accès à la technologie d'Internet, on peut s'en servir pour parler à nos petits-enfants qui vivent dans la grande ville et c'est très bien ainsi, mais si nous faisions les choses à votre façon, nous aurions sans aucun doute des machines ; et le travail se ferait effectivement plus vite. Au lieu de produire quelques tonnes de beurre de karité annuellement, nous en produirions probablement beaucoup plus, voire des centaines de tonnes. Mais seulement deux personnes seraient riches et toutes les autres seraient pauvres ; l'équilibre serait brisé. »

Cette petite dame vit dans un petit village au Sahel en Afrique de l'Ouest. Elle n'a jamais, de sa vie, mis les pieds dans une école.

Avons-nous quelque chose à apprendre de cette femme?

Et si oui, quoi?

***

Depuis 2004, je m'implique bénévolement auprès du Centre d'étude et de coopération internationale (CECI). Il s'agit d'une société privée à but non lucratif basée à Montréal, qui s'emploie à combattre la pauvreté et l'exclusion, à faire la promotion de la paix, des droits humains, de l'équité dans divers pays en voie de développement. J'ai décidé de m'engager avec le CECI plutôt qu'avec un autre organisme parce qu'au sein de celui-ci, une toute petite portion seulement des montants recueillis – à peine 15% – est utilisée pour l'administration, les frais de voyages, etc. Ce n'est pas énorme, 15%. Le reste des fonds est injecté là où ça compte: à aider, à construire, à informer les gens, à éduquer. À faire le travail, quoi.

Cette collaboration m'a permis de visiter des régions comme le Mali, le Sénégal, le Burkina Faso, le Brésil, le Népal, le Guatemala, le Mexique, de me rendre à Haïti à plusieurs reprises, etc. Ça m'a permis de rencontrer, partout sur la planète, des gens qui vivent ce que nous appelons la mondialisation; ils vivent au quotidien les effets de cette mondialisation; ils vivent le réchauffement planétaire; ils vivent aussi le métissage. Tout en continuant de poser mon regard sur le Québec et l'Occident, j'ai côtoyé des gens qui font l'expérience quotidienne du «Nouveau Monde».

Le Nouveau Monde, aujourd'hui, ce n'est pas le continent sur lequel Colomb a mis le pied en 1492. Le Nouveau Monde d'aujourd'hui est omniprésent et il se recrée chaque seconde. Le Nouveau Monde d'aujourd'hui n'est pas seulement géographique; il est idéologique. Il est technologique. Il naît et renaît par le métissage. Il s'agit d'un monde de rencontres, de chassés-croisés, d'idées, d'humains.

Combien de fois me suis-je posé ces questions existentielles: «Que se passe-t-il sur la Terre? Qu'est-ce que je fais ici? C'est quoi, ce monde de fous? Qui sont ces gens qui m'entourent?»

Je sais, c'est pas très original, mais il faut chercher tant bien que mal à y répondre pour que l'aventure commence.

Il y a de cela des milliers d'années, cette bande d'Africains, chasseurs-cueilleurs, pygmées, a quitté l'Afrique de l'Est pour aller à la conquête de l'Europe, de l'Asie et, enfin, du monde…

Ces humains se sont embarqués sur un grand bateau ivre.

Ça ne s'est pas fait en un jour. Depuis des milliers d'années, nous avons emprunté toutes sortes de chemins, des chemins d'humains, dictés par notre nature d'humains, imparfaite. Nous avons commis des erreurs, nous nous sommes laissé emporter par de grands courants fous, nous avons laissé une mer imprévisible et, pourtant, souvent prévisible à la fois, aiguiller notre proue. Aujourd'hui s'ouvrent devant nous des dizaines d'avenues… mais bien peu d'entre elles, il me semble, nous mèneront à bon port si nous ne changeons pas nos mentalités.

À aucun moment de l'histoire de l'humanité, nous n'avons autant été à la croisée des chemins. Ce n'est même plus une croisée, quand on y pense. C'est un éventail de chemins. Et tout le monde n'emprunte pas la même voie. Peut-être que ces chemins-là nous conduiront tous un jour à un chemin unique. Peut-être. Mais pour l'instant…

J'ai envie de parler du monde. Parce qu'il est là. La vie est là, elle progresse, elle disparaît et surgit chaque jour, et il est impossible désormais d'ignorer que notre monde avance en direction d'une fatalité, d'ignorer que si nous demeurons les bras croisés, le bateau qui nous emmène tous va s'écraser contre le quai.

J'ai envie de parler du monde parce que c'est le mien et que j'en ai le droit. J'en fais partie et, comme vous tous, je pose des questions, je cherche, j'essaie de savoir. Je lance des pistes de solutions. J'estime avoir le droit, et même le devoir, de parler très fort de ce monde qui est mien, parce que l'heure n'est plus aux chuchotements polis. Il y a urgence d'agir, et mon action, aujourd'hui, c'est ce livre, dans lequel j'injecte ce que j'ai d'humain.

AU NOM DE L'AMOUR

Je ne viens pas au nom de l'amour
L'amour a fait périr trop de vivants
Vendu à sa suprématie sur l'homme et ses sentiments
Je ne viens pas au nom de l'amour

Je ne viens pas au nom de la paix
La paix existe pour être troublée
Blesser tous ceux qui l'ont gardée en eux comme un grand secret
Je ne viens pas au nom de la paix

Je n'écris pas au nom du bonheur
J'écris la peine que j'ai à l'avoir vu
Chez l'ignorant, chez l'imbécile, le mal baisé, le cocu
Je n'écris pas au nom du bonheur

Je ne viens pas au nom de la guerre
Elle a rendu heureux trop de vieux cons
Conquistadors, cons qui s'adorent
Cons qui tuent de jeunes cons
Je ne me bats pas au nom de la guerre

Je n'aime pas la sécurité
Elle n'est qu'une pute qui ne se donne jamais
Même quand elle est bien baisée, elle vous délaisse sans regret
Je n'aime pas la sécurité

J'aimerais parler au nom du vrai
Quand je l'aurai, je vous en ferai part
Par satellite, par d'autres biais
Pour fuir la mort et vos regards
J'aimerais parler au nom du vrai

LUCK MERVIL

Chapitre I

UN BEAU GRAND BATEAU

Un scientifique interviewé à la radio il y a quelques semaines illustrait la situation de notre monde grâce à une image très simple. Cette image était celle d'un bateau qui arrive au port, au Vieux-Port de Montréal par exemple. Un bateau, ça pèse des tonnes. L'eau porte le bateau. L'eau est fluide et, bien entendu, on peut y passer la main sans grande résistance ; un navire y glisse sans jamais buter sur aucun obstacle. Un bateau, contrairement à une voiture, ça ne freine pas sec. Si on arrête le moteur, le bateau continue. L'image est bien claire. Notre bateau de plusieurs tonnes, il faut commencer à le faire ralentir à 30 kilomètres du port et faire tourner le moteur à l'envers pendant un bon moment si on veut qu'il s'arrête à temps. Si on commence à freiner alors que l'on se trouve à 10 kilomètres du quai, on va percuter le quai. On ne peut pas décider à la dernière minute d'arrêter un paquebot de plusieurs tonnes, par exemple à 10 kilomètres du port. C'est sûr alors que le bateau va emboutir le quai : c'est trop tard. On aura beau mettre le moteur à l'envers, ce ne sera pas suffisant. La solution : il va falloir qu'on bifurque, qu'on fasse un tour, qu'on reparte dans l'autre sens pour mieux revenir et prendre le temps de ralentir, pour mieux freiner. Nous sommes ce bateau, mais nous, on a un petit problème… Il nous est impossible de faire demi-tour. Nous devons continuer même si nous n'avons pas décéléré à temps. Nous avançons à vive allure et il nous reste 10 kilomètres. Il en fallait 30…

Bien qu'on l'ait fait trop tard, on a tout de même commencé à freiner. On a réalisé le péril dans lequel on se trouvait, et on a crié : « Mets les freins, fais tourner le moteur à l'envers, mets-le au plus puissant, on va foncer!» On foncera peut-être un petit peu moins fort, mais le bateau va quand même frapper le quai. Les dommages seront bien réels.

C'est ça, l'image. Peu importe ce qu'on fait maintenant, on fonce, c'est sûr. C'est déjà trop tard.

La mondialisation, le Nouveau Monde… et l'Occident

Nous sommes à la croisée des chemins. Bien souvent, dans l'histoire de l'humanité, nous sommes arrivés à une croisée, nous avons dû choisir entre deux avenues: celle de droite ou celle de gauche. Il était impossible d'aller tout droit. Il fallait bifurquer à droite ou à gauche, on n'avait pas le choix, on était au bout du chemin. Un temps était terminé et c'était le début d'un temps nouveau. Un avancement technologique ou l'apparition d'un génie militaire, religieux, philosophique, etc., faisait en sorte que les temps changeaient. Au xve siècle, à l'époque de l'invention par Gutenberg de la presse à imprimer, les idées se sont mises à aller de tous bords tous côtés. Il fallait aller vers autre chose. Cette invention risquait fort d'ouvrir les idées, de faire bouger les choses. Mais le monde avait déjà changé, il n'avait pas le choix d'embarquer ou non. Le destin de l'humanité était dirigé par cette réalisation, par cette avancée technologique. Et grâce à celle-ci, lorsque trois siècles plus tard, à un endroit précis d'Europe, des gens ont crié: «Liberté, égalité, fraternité!», si les peuples de partout ailleurs ne le criaient pas à leur tour, au moins, ils en entendaient parler. Les mentalités devaient donc suivre et changer.

Ce qui se produit aujourd'hui est une répétition de l'histoire, mais pas tout à fait de façon similaire: c'est exponentiel. Une invention en a permis 20 autres, puis 100 autres, qui ont à leur tour ouvert la voie à d'incalculables progrès. Il faut une invention d'envergure ou des hauts faits historiques remarquables pour forcer un changement. Le hic, c'est qu'on n'a pas UNE invention d'envergure, comme l'imprimerie par exemple; on a 100 000 inventions d'envergure d'un coup! Et parmi ces inventions d'envergure, il y en a certaines pour lesquelles nous ne sommes pas nécessairement prêts. Nous n'avons pas la sagesse de nos connaissances. On va où, avec ça?

Au moment de l'invention de l'imprimerie, la même problématique devait être présente. Mais je crois qu'à l'époque, les penseurs en étaient un peu moins conscients. Non seulement ils n'étaient pas tout à fait conscients de l'envergure, de l'ampleur qu'aurait cette invention-là, de son impact, mais les dangers inhérents à cette inconscience étaient moindres que ceux qui sont liés aux progrès technologiques actuels.

Aujourd'hui, quand quelque chose se produit sur la Terre, on peut en être conscient tout de suite, tous en même temps. Quand sont survenus les attentats du 11 septembre, on l'a tous su tout de suite. On a même pu assister à la fin du spectacle en direct à la télé. Le coup d'État raté du 11 avril 2002 contre Hugo Chávez, au Venezuela, a été rapporté heure par heure dans un documentaire : *The Revolution Will Not Be Televised* qui est devenu *Chávez, the Film*, réalisé par Kim Bartley et Donnacha O'Briain. Les deux réalisatrices produisaient un documentaire sur le président Hugo Chávez au moment du putsch, et ont finalement consigné sur film tous les événements... Ce documentaire a obtenu plusieurs prix, dont deux prix aux *Grierson Documentary Awards* en 2003. L'information circule à une vitesse effarante. En 1440, ça prenait quand même un moment avant de diffuser une information. Il fallait trouver l'imprimerie, il fallait imprimer la nouvelle et, ensuite, on l'envoyait un peu partout en employant des véhicules à rapidité limitée.

Aussi, ce que nous considérons aujourd'hui comme simple et évident ne l'a pas toujours été ; Rome ne s'est pas construite en un jour. Bien des choses ont lentement mené l'humanité jusqu'à l'invention de l'imprimerie en Allemagne. Si cette mécanique nous semble fort simple aujourd'hui, il faut se rappeler qu'il nous a fallu des siècles d'évolution pour arriver à la concevoir. Ensuite, il fallait être prêt à recevoir et à assimiler ces instruments qui allaient littéralement révolutionner le monde. Le déphasage entre les peuples et leurs avancées scientifiques et autres est bien réel. Tout cela bien entendu donne lieu à des bouleversements épisodiques. Vous découvrez le fer avant votre voisin ; vous êtes tout à coup muni d'armes plus solides que les siennes. Vous avez de la poudre à canon ; les Amérindiens ont des arcs et des flèches... Vous avez la bombe atomique ; vous êtes une superpuissance. C'est donc là une question de décalage des connaissances. Et ce décalage n'est pas l'apanage d'un moment précis de l'histoire. Bien que les outils de communication actuels, tel Internet, tendent à atténuer cet écart, il existe toujours aujourd'hui entre les peuples.

J'ai découvert cette complexité au cours de mes voyages. Par exemple, en Occident, dès notre tendre enfance, nous sommes familiarisés avec des principes d'hygiène, qui ont à leur cœur certains principes chimiques de base. Dans nos garderies, quelle éducatrice n'a eu à dire à un enfant : « Ne mets pas ce jouet dans ta bouche, c'est sale et tout plein de microbes » ? Pour nous, enfants, cela finit par devenir évident ; on nous l'a tellement répété et expliqué que ça finit par faire partie intégrante de notre psyché. Ce n'est pas la même chose partout. Il n'est pas rare dans certains pays de voir sur le même cours d'eau des femmes qui lavent leurs enfants en aval, alors que d'autres font la lessive en amont et qu'un peu plus en amont parfois, certaines personnes font leurs besoins naturels. Au Québec, à la petite école déjà, dans notre classe de maternelle, l'enseignante place devant nous une plateforme percée de trous de formes triangulaire, rectangulaire, en étoile… Elle nous tend les morceaux qu'il faut insérer dans le bon emplacement. Pour nous, enfants, c'est un exercice évident. Si je mets une plateforme comme celle-là devant vous, vous ne ferez même pas le travail, vous allez rire de moi. Mais allez dans une tribu aborigène, dans la forêt amazonienne par exemple. Placez un truc comme celui-là devant un indigène, et mettez les morceaux dans ses mains. Vous allez constater qu'il va hésiter. Pas parce qu'il va se dire : « Est-ce qu'il me prend pour un idiot ? », mais parce que lui, il n'a pas fait cet exercice à trois, quatre, cinq ans. Ce n'est pas automatique pour lui. Évidemment, au cours de sa vie, il a dû insérer des objets dans des trous. Il va donc comprendre le concept bien plus rapidement qu'un enfant de trois ans. Mais il va quand même y réfléchir. C'est là qu'on se rend compte que ce n'est pas évident pour tout le monde. Cet exercice n'est pas évident pour lui parce qu'il ne l'a pas appris. Ça ne fait pas partie de son cursus, ce n'est pas inscrit dans sa psyché, il ne connaît pas ce jouet. Il n'est pas idiot, mais il a besoin de temps pour se mettre à ce niveau, il faut qu'il fasse le raisonnement.

Et ça, je l'ai appris à force de voyage. Quand on demande à des gens issus de diverses parties du monde, où un certain niveau d'éducation et d'organisation n'a pas été atteint, d'accomplir des tâches qui, pour nous, semblent d'une simplicité enfantine, on constate qu'il importe de respecter le rythme de ces gens, qui peut être complètement différent du nôtre. L'ignorance, nous sommes tous passés par là à un moment ou à un autre de notre existence et, à ce que je sache, nul n'est omniscient.

Celui qui sait tout a aussi tout à apprendre.

L'ignorance n'est pas un défaut, mais plutôt la capacité de jouir du bonheur d'apprendre.

Nous avons tous cette capacité en partage et, en ce sens, nous sommes un.

Le Nouveau Monde, pour moi, n'est pas l'Amérique, mais la rencontre avec l'Autre qui, au fond, est nous; c'est une nouvelle façon de vivre et de penser où tout est mêlé, où tout s'est multiplié, où tout est énorme. Diverses façons de voir les choses, de voir la vie, de vivre et de se développer coexistent. On entre dans une nouvelle ère et on s'aperçoit qu'on peut tous arriver au même point; tous les humains, peu importe d'où ils viennent, ont la possibilité d'arriver au même point, mais ils prennent parfois des chemins différents. Nous, Occidentaux, avons depuis longtemps évolué dans la séduisante idée selon laquelle nous étions seuls au monde et supérieurs au monde. Le Nouveau Monde dont je parle est beaucoup plus morcelé qu'on peut le penser. Ce n'est pas qu'il le soit maintenant plus qu'auparavant, mais aujourd'hui, nous avons les moyens d'en être beaucoup mieux informés.

Comme je le disais plus haut, cette croisée des chemins à laquelle nous nous trouvons en ce moment est en fait un éventail de chemins, et ces chemins font partie de ma conception du Nouveau Monde. On parle de mondialisation, donc d'une certaine unification, d'une certaine unicité, d'une certaine union, de chemins qui convergent vers l'UN. D'autre part, ce qui se produit, c'est un éclatement. C'est paradoxal. Comme on a tout plein de chemins devant nous, on ne choisit pas tous le même. On choisit selon notre culture, selon notre philosophie, selon le lieu géographique où l'on vit, on choisit selon notre pensée. Et cette pensée est multiple. Les différents points de vue sont légion. Comme le disait Albert Einstein : « tout est une question de point de vue. »

C'est la théorie du chaos. Imprédictibilité et hasard : vous n'avez pas choisi votre place dans l'univers, mais vous y êtes quand même et tout dépend d'où vous êtes placé dans l'univers. Votre point de vue à vous, il est unique. Vous êtes unique. Tous les individus, tous les peuples de la Terre ont leur unicité et, en même temps, la nature nous a appris que chaque être humain est un peuple. Commençons par la fin ; selon la science contemporaine, la mémoire ultime de l'homme est l'ADN. Par ailleurs, il est très simple de démontrer que lorsque l'on parle d'humain, il existe une seule race : l'*homo sapiens sapiens*, sous espèce de l'*homo sapiens*, apparue il y a environ 100 000 ans. Ce n'est pas plus compliqué que ça. Quand on retourne à l'ADN, on se rend compte qu'en chacun de nous se trouvent un peuple, une nation, une planète et potentiellement, pour-quoi pas, l'univers. En vous, il y a tout le passé de l'humanité, et tout son avenir aussi. D'un point de vue philosophique, c'est extraordinaire ! Ce type de connaissance fait ouvrir les esprits et permet de voir le monde différemment. Ça nous fait réaliser, par exemple, que le concept de race est totalement obsolète aujourd'hui. Avec les connaissances dont nous disposons, nous devrions être en mesure de réaliser que l'histoire qui a été écrite et transmise depuis des générations, par rapport à la race, par rapport aux distinctions raciales, était fausse.

Aujourd'hui, malheureusement, lorsqu'on réalise qu'une façon de penser, qu'une façon de voir est erronée, on a beau-coup de difficulté à la changer. Bien que nous ayons à notre disposition tous les outils pour le faire… Avons-nous peur du changement ?

Chaque histoire qui a été écrite, vraie ou fausse, se rapporte à des gens. On a créé un monde qui est devenu un monde économique. Chaque épisode de l'histoire profite à des gens. Chaque épisode a ses raisons d'être bien fondées : il sert à des gens, à des peuples. Non seulement d'un point de vue économique, mais d'un point de vue humain. « J'appartiens à la société occidentale, j'ai tout fait ! C'est moi qui ai inventé la philosophie ! la science ! la technologie ! » Et les pyramides d'Égypte ? Je veux dire, les Égyptiens ne sont pas des Occidentaux ! Ils connaissaient les mathématiques, la géométrie. Le Soleil passe à tel endroit, à telle date : ils connaissaient l'astronomie. Et l'écriture ? Elle s'est développée en Mésopotamie en 3300 avant notre ère.

Mais quand un peuple écrit son histoire, elle doit lui être profitable d'un point de vue idéologique, du point de vue de la fierté. Un peuple doit être fier de sa culture, de ses réalisations, de ses victoires, de ses actes héroïques. Enlevez ça à un peuple, et vous pouvez le réduire en esclavage. Quand le Macédonien Alexandre le Grand allait conquérir un territoire, souvent, il brûlait les bibliothèques. Il brûlait les livres. C'était là aussi une façon de conquérir le monde : on enlève aux conquis la connaissance de leur passé, et on leur impose celle du conquérant. Les Occidentaux l'ont fait aussi, un peu plus tard. Au Congo, pendant des siècles, de jeunes Congolais noirs apprenaient leur histoire et disaient : «Nos ancêtres les Gaulois.» C'est totalement illogique ! Mais on l'a fait. Ce qu'Alexandre le Grand a fait, on l'a fait, 1 000 ans plus tard. L'histoire se répète. Le mécanisme qui permet au conquérant, qui qu'il soit, d'arriver à ses fins est toujours le même. Et quelles sont les fins du peuple conquérant, sinon de pouvoir affirmer : «Nous avons tout créé. Notre pensée est la meilleure. Notre système politique est le bon. Dieu est avec nous et nous guide. Le monde est notre patrimoine. Nous sommes les élus d'une quelconque divinité. Nous sommes les maîtres du monde. Nous sommes supérieurs à tous les autres» ?

Aujourd'hui, notre savoir nous rend capables de discernement. À une certaine époque, qu'aurait-on fait d'une somme aussi incroyable de connaissances ? On aurait dit : «Écris ça dans un livre. On le met à l'index et on n'en parle plus.» On aurait découvert que les Égyptiens, c'étaient des Noirs ? ! «Vite ! Mettons cette information à l'index. Et envoyons une expédition casser le nez du Sphinx, qui a l'air d'un nez de *Black*, et effacer, sur les murs des tombeaux, toutes les représentations d'Égyptiens. Grattez tout ça ! Ils se sont dessinés noirs, les imbéciles !» S'ils se sont dessinés noirs, ce n'est pas parce qu'ils ne savaient pas faire du blanc ! C'est peut-être parce qu'ils étaient Noirs ! «Tout ça, il faut l'enlever ! Grattez ça !» Pourquoi ? Parce que cette connaissance-là serait venue infirmer la supériorité des Occidentaux. Trêve de plaisanteries !

23

On sait bien que d'autres peuples ont réalisé de grandes choses. On sait que nous sommes tous égaux. On le sait. On le comprend. Mais, à mon avis, l'Occident trop imbu de lui-même n'est pas prêt à accepter totalement cette égalité qu'il a hypocritement prônée. Et qui peut décider de promouvoir une réelle égalité sinon les Occidentaux ? Et que fait-on, nous, Occidentaux ? On reste là, tranquilles, on garde le *statu quo*… et on contrôle le monde. Ce n'est pas correct, c'est plus qu'injuste, mais la fin justifie les moyens ! C'est une *game* de pouvoir. Une *game* de pouvoir que nous avons créée. Tant que c'est nous qui restons au pouvoir, tant que c'est nous qui jouissons de ce pouvoir-là, tout va bien. La mondialisation, c'est aussi ça.

Est-ce que cela va durer encore longtemps, cette suprématie de l'Occident ?

Pas si sûr… La connaissance aussi se mondialise.

Parce qu'à la seconde où se produit une découverte, qu'elle soit historique, politique, philosophique, scientifique, etc., le monde entier le sait. Vous pouvez vous rendre sur Internet et en être tout de suite informé.

Étant donné tout ce que je viens de décrire, on pourrait croire que cette préservation de la suprématie de l'Occident est impensable à notre époque, cette époque de mondialisation, donc d'accès universel à la connaissance, à l'évolution, au progrès, au confort… Mais les inégalités sont-elles révolues pour autant ?

Penchons-nous simplement sur l'idée de confort, le confort qui supposerait simplement la santé, un toit, une alimentation suffisante. Cette conception du confort existe-t-elle toujours aujourd'hui ? Je ne le crois pas. Le confort moderne, c'est nous, Occidentaux, qui l'avons défini. Il serait impensable aujourd'hui de le définir en ces termes réducteurs.

On a changé. La planète a changé. Notre perception du bonheur, ou du confort, se mondialise aussi. Pensons aux gens, par exemple, qui habitent des villages dans des zones tempérées situées à proximité de la mer, qui ont accès à du poisson, à une variété enviable de denrées et de légumes frais, puisqu'en certains lieux sur la planète, pratiquement tout pousse relativement sans effort démesuré. Ils n'ont pour ainsi dire pas besoin d'un toit parce qu'il fait environ 30 degrés à l'année ; les plantes qui poussent aux alentours peuvent guérir tous leurs maux, et ces gens possèdent une connaissance millénaire de ces plantes et de leurs vertus. Ils ont ce qu'il faut, vous comprenez ? Ce que nous considérons justement comme un confort de base, ils l'ont. Mais ça ne les satisfait plus. Pourquoi ? Parce qu'on leur a montré un autre confort. On leur a donné l'électricité, on leur a donné la télévision. Ils regardent des émissions de télé qui sont autant de propagande de notre façon de concevoir l'existence. Quelle est leur réaction ? « Ce que je vois dans ces feuilletons télévisés, c'est une dame qui vit dans un édifice de 40 étages. Elle a une vue superbe sur toute la ville, elle plane au-dessus du monde, elle vit carrément la tête dans les nuages. Quand elle descend dans la rue, quelqu'un ou une cellule photoélectrique active un mécanisme qui lui ouvre la porte. Elle peut ou non avoir un chauffeur, elle prend le métro ou roule en Rolls-Royce, elle a accès à des salles de spectacles, à de la nourriture exotique, à des vêtements, au pouvoir d'achat, à tous ces néons, ces lumières, ces *buildings*... Je veux tout ça, moi aussi ! » À São Paulo, au Brésil, quand un riche arrive au marché, un valet prend ses clés de voiture et va stationner son auto. À l'intérieur, un serviteur le suit partout. Il n'a qu'à pointer du doigt les articles qu'il veut acheter, et c'est le serviteur qui les place dans le panier. Le riche n'a à toucher à rien.

Aujourd'hui, le confort, c'est aussi devenu ce luxe. On ne peut pas faire fi de ça. On ne peut pas dire que la réalité matérielle ne fait pas partie de l'idée de confort. Le luxe est totalement indissociable de l'idée de confort parce qu'il est omniprésent. On le montre à tout le monde ! Dans le fin fond de la forêt d'Afrique, des gens sont connectés à Internet, ils ont la télé dans leur village. Ces gens voient ce qui se passe et se disent : « Un instant. Moi, je vis dans le désert, je n'ai rien, il fait 45 degrés, j'ai chaud à l'ombre, et le type à la télé, lui, il vit à l'intérieur, dans un pays où il fait froid, et, à 30 degrés sous zéro, il fait beau dans sa maison. Tout est propre, sa voiture est chauffée, elle est dans un garage, il ne touche pratiquement jamais à la neige durant l'hiver... Il a accès à l'éducation, à la bouffe, à la santé, il vit entouré de luxe, en sécurité. Pourquoi n'aurais-je pas droit à ça ? Qu'est-ce qui fait que je n'ai pas droit à ça ? »

Aujourd'hui, d'où qu'on soit dans le monde, on peut regarder ce qui se passe ailleurs, et il y a des adages qui finissent par reprendre tout leur sens. Le gazon est toujours plus vert chez le voisin… «Mais le voisin, son gazon, il l'arrose avec mon eau à moi! Et moi, je ne peux pas en boire. Il arrose sa pelouse avec mon eau, et moi, je meurs de soif! Le voisin vient chercher des diamants sur la terre de mes ancêtres, et moi, je meurs de faim. Il prend la bauxite chez moi! Il prend toutes mes richesses naturelles. Grâce à ces richesses, lui, il vit dans le luxe, et moi, je n'ai rien.» Il y a certainement quelque chose qui ne fonctionne pas!

Il n'est pas nécessaire de jouir d'une très grande instruction pour comprendre ce qui se passe aujourd'hui, pour le réaliser. Voyager est devenu beaucoup plus facile. Auparavant, il fallait prendre le bateau ou l'avion pour voyager. Ce n'est même plus obligatoire. Nous n'avons qu'à faire un clic pour voyager! En un clic, on peut savoir ce qui se passe ailleurs. «C'est comme ça qu'ils vivent?! C'est pour ça que, quand ils viennent ici au Congo, au Vietnam, au Guatemala, ils sont si beaux, ils sont si propres, si bien habillés et ils sont en santé!» Eh oui… Cette notion aussi se mondialise. Il est toujours possible, aujourd'hui, de découvrir comment vivent les autres.

Après les événements du 11 septembre 2001, on a souvent entendu, de la part des Américains: «Ah, ces gens-là sont jaloux de notre façon de vivre.» La phrase est vraie, mais elle n'est pas complète. Ces gens-là sont jaloux de notre façon de vivre à leurs dépens. C'est ça, la phrase complète. Nous vivons comme nous vivons parce qu'eux vivent comme ils vivent. Et ils vivent comme ils vivent parce que nous tenons à vivre comme nous vivons.

Nous savons pourtant que nous sommes un; qu'ailleurs, l'autre est comme nous et désire ce que nous désirons. Mais on fait l'autruche.

C'est encore et toujours la même histoire, on refuse de voir la réalité en face. On met ce genre d'information de côté, on n'en parle pas, on met ça à l'index. On met notre moralité à l'index. On met à l'index le côté moral de l'histoire et les enseignements qu'on pourrait en tirer, parce que c'est tout à notre avantage d'escamoter ces informations. Ça nous sert à être plus riches, ça nous sert à être plus beaux, plus propres…

à le paraître, du moins. C'est la grande illusion. Et ça, on ne peut plus le cacher. En tout cas plus pour longtemps. Grâce à l'accessibilité des télécommunications, le monde entier est au courant et conscient de ce qui se passe. Il le voit. Il nous voit agir. Aujourd'hui, on ne peut plus tricher.

Il va y avoir une révolution. Ce n'est qu'une question de temps, et de très peu de temps. La révolution est déjà commencée, en fait. Et elle va être globale. Elle EST globale. Comment s'en rendre compte? Facile. On n'a qu'à lire les journaux…

Le riz

À l'hiver 2008, à la suite de la suspension temporaire par l'Égypte, premier producteur de riz du Proche-Orient, de la vente de riz à l'étranger, le prix de cette céréale en Asie est passé de 380 dollars la tonne à plus de 750 dollars la tonne, dopé par la forte demande d'Asie, d'Afrique et du Moyen-Orient. Cette mesure, qui a été suivie d'initiatives similaires en Inde et au Vietnam et qui a été imitée par la suite par le Cambodge, réduisait d'un tiers les stocks de riz disponibles sur le marché international.

Quand on voit des gens, à Haïti, sortir dans la rue, manifester, faire la grève et clamer: «C'est pas possible, vous ne pouvez pas nous demander ce prix-là pour du riz alors que du riz pousse dans notre pays», ils comprennent fort bien ce qu'il se passe! Pourtant, ce ne sont pas des gens scolarisés. Mais ils connaissent et comprennent les enjeux de la situation. Ça se produit aussi au Bangladesh, en Asie, en Afrique, ça se produit dans plusieurs pays pauvres en même temps. C'est quand même bizarre que, le même mois, tout arrive partout, en même temps. Les consommateurs haïtiens, tout comme les Asiatiques et les Africains, communiquent entre eux; le message se transmet. Ils saisissent ce qu'il se passe. Pas besoin de comprendre le fonctionnement de la Bourse ni d'avoir un doctorat en économie pour dire: «Attendez une minute. Je payais mon riz cinq dollars et, tout à coup, je dois payer le double, alors que mon salaire, lui, n'a pas changé!»

Ça ne va pas!

Ça se produit dans leur épicerie, leur commerce, dans leur poche et dans leur garde-manger, et dans ceux du monde entier en même temps. Est-ce que du riz pousse au Canada quelque part? Non. Comment ça se fait qu'on en ait, nous, et qu'en Haïti, ils n'en aient pas? Il en pousse là-bas, pourtant. Pas besoin d'être un génie pour comprendre ça. Un Haïtien se trouve dans son pays et se dit: «Ça, c'est le champ de riz. Moi, il me coûte ce prix-là, parce qu'il n'est pas subventionné par l'État. Eux en ont dans leurs supermarchés parce qu'ils ont un certain pouvoir d'achat et moi, je ne peux pas en manger? Attends, ça ne marche pas!»

Le gouvernement brésilien a accordé une aide de 14 000 tonnes de nourriture à Haïti. Les États-Unis et l'Union européenne lui ont emboîté le pas. Luiz Inácio Lula da Silva, le président brésilien, a pris une décision. Le Brésil étant au neuvième rang des pays exportateurs de riz au monde, une taxe a été instaurée. Si les producteurs veulent exporter leur riz, ils doivent payer. Ainsi, le riz demeurera au pays et sera vendu aux Brésiliens. On ne peut pas à la fois être un pays producteur de riz et ne pas pouvoir en manger. C'est une question de bon sens.

Cependant, il y aura toujours des peuples qui diront: «Nous, on en veut, du riz, alors on va payer plus cher.» Les Brésiliens vont-ils longtemps pouvoir continuer à leur répondre: «Si vous payez plus cher, nous augmenterons les taxes. Il faut que les gens de chez nous puissent manger du riz. Nous augmenterons les taxes et nous accorderons des subventions afin que notre peuple puisse acheter son riz et se nourrir. Nous ne pouvons tuer notre peuple pour qu'un autre se nourrisse. Ça ne peut pas fonctionner, pas comme ça»?

C'est au pied du mur qu'on voit le mieux le mur... Le village global?

Ce qui est en train de se passer, d'après moi, c'est que le monde est en train de se rééquilibrer. Je vois ça de façon très positive. Quand les gens sortent dans les rues, certains perçoivent ces manifestations comme une mauvaise chose. Les manifestations, c'est de la violence, c'est le désordre, le chaos... Le chaos, d'un point de vue philosophique, est la confusion qui précède la création du monde. C'est un peu comme ça que je le vois, je suis contre la guerre. La seule bonne guerre est celle que je mène contre moi et mes démons intérieurs. Je ne suis pas contre le fait de manifester pour obtenir justice, je ne suis pas contre le fait de prendre les rues pour me prononcer en faveur d'un monde plus juste, plus équitable, plus responsable. On peut se demander ce que ça entraîne comme conséquences quand les peuples sont immobiles et qu'ils ne foutent rien. Allez dans certaines de nos écoles et regardez nos élèves. Posez-leur quelques questions sur l'état du monde, sur l'avenir de ce monde et sur ceux qui le dirigent. Interrogez-les sur leur vision du futur, sur leur raison d'être, leurs projets à long terme, sur les enjeux majeurs des réformes en matière d'éducation, etc. La plupart sont assez amorphes et souffrent d'un manque d'intérêt pour le devoir civique qui se voit comme le nez au milieu du visage. Les taux de suicide chez les jeunes dans les pays dits développés sont alarmants. Ils ont pourtant accès à tout ce dont, il y a à peine 100 ans, nous ne pouvions que rêver. L'avenir est à eux, on ne parle plus de famine en Europe ou en Amérique depuis longtemps. Je ne dis pas que le cours des choses est au mieux, mais on a vu bien pire. Deux atroces guerres mondiales, des épidémies de choléra et de grippe espagnole, des pandémies de peste et j'en passe... Bien des adultes, eux, ont accepté leur sort. Il suffit de voir certains de nos dirigeants pour le comprendre. Pourtant, ailleurs, des choses se passent. Ça bouge, ça crie, ça sort dans les rues, ça gueule. Vous me direz que c'est une question de survie. Eh bien, oui, justement. L'être humain, de tout temps, a évolué parce qu'il devait survivre.

Je pense que, la plupart du temps, un peuple bouge lorsqu'il se retrouve au pied du mur. Et c'est bien dommage. On dirait que c'est la nature même de l'humain. Ce n'est pas vrai seulement pour le Québec, la France, le Canada, les États-Unis ou pour un peuple en particulier. C'est l'humain qui est comme ça.

La mondialisation, c'est aussi ça. Ces grands mouvements qui surviennent lorsqu'on se retrouve au pied du mur, ils se sont produits ici et là, à divers moments, provoqués par des problématiques différentes qui sont survenues à différents endroits. Ça s'est toujours fait, mais toujours de manière aléatoire. Ici, on est au pied du mur en ce qui concerne l'eau potable ! Il en manque, maintenant, parce qu'on a exagéré. Que voulez-vous, c'était super *cool* de pouvoir nettoyer l'asphalte avec l'eau potable, mais c'est bientôt fini. Là, on est au pied du mur par rapport à la nourriture. Ici, c'est par rapport au climat. Là, c'est par rapport à l'énergie ; ici, c'est par rapport à l'hypocrisie politique. Là, c'est par rapport au cynisme ambiant. Il va falloir faire vite et changer ça, ça et ça.

Mais aujourd'hui, ce n'est plus ça. Puisqu'on a globalisé, puisqu'on a mondialisé, quand survient un problème lié, par exemple, à l'eau potable, il s'agit d'un problème mondial qui touche tout le monde en même temps. C'est le monde entier qui attend d'être au pied du même mur en même temps. Et on peut présumer que si ça se met à bouger, ça commencera partout en même temps.

C'est en ce sens que nous sommes devenus un village. Grâce aux communications, le Sénégalais et l'Albertain, le Laotien et l'Allemand sont voisins. Chaque grand courant provoque une seule vague, énorme, qui touche le monde entier. Comme dans un petit village, il suffit de se pencher à la fenêtre et de lancer un « Oyez ! » pour réunir la plus grande partie de la population et s'adresser à tous en même temps. Mais l'image est-elle réellement appropriée ?

Arrêtons-nous un instant sur la signification même du terme « village » :

> Agglomération rurale ; groupe d'habitations assez important pour avoir une vie propre. Village global, village planétaire : la Terre, le monde, en tant que milieu unifié et réduit par la mondialisation des systèmes et réseaux de communication et des échanges culturels. (*Le Petit Robert*)

> Origine : 1081 ; groupe d'habitations rurales ; dérivé de ville (qui a d'abord signifié maison de campagne, domaine rural, quartier, désigne l'agglomération urbaine dès l'époque gallo-romaine (IVe au VIIIe siècle), pour remplacer ce mot au sens de village. (*Larousse étymologique et historique*)

> Agglomération rurale caractérisée par un habitat plus ou moins concentré, possédant des services de première nécessité et offrant une forme de vie communautaire. (*Multidictionnaire de la langue française*)

Vivons-nous réellement en communauté ? Plus ou moins. Nous partageons des caractères et des intérêts communs, des liens économiques et politiques nous unissent, mais quand bien même nous serions au fait de ce qui se passe à l'autre extrémité de notre village global, nous ne somme pas encore concernés par son destin. Nous laissons ses habitants mourir de faim en cas de famine. Nous sommes souvent la cause de ces famines. Bien sûr, quelques exceptions viennent confirmer la règle, mais ce sont tout de même des exceptions. À quand le grand réveil ? Quand la guerre fait rage à l'autre bout de notre village, voulons-nous à tout prix que cela cesse ou y voyons-nous plutôt une opportunité économique ? Ce sont là des questions sur lesquelles l'avenir nous jugera très sévèrement. Si effectivement nous vivons dans ce village global en communauté, nous ne pouvons faire fi de la réalité. Nous avons des responsabilités, et il va falloir les assumer.

Notre communauté est-elle heureuse de ce qu'elle vit ?

Je suis sûr que non : ceux qui vivent dans le manque et l'insécurité ne le sont certainement pas. Ceux qui le savent et ne font rien pour améliorer la destinée de leurs confrères humains ne vivent que l'illusion d'un bonheur qu'ils ne caresseront jamais.

La mondialisation, telle qu'on la conçoit aujourd'hui, n'est pas humaine ; elle est tout d'abord économique. En fait, les premières institutions officialisées ne sont pas des institutions humaines, mais des institutions économiques. Ce sont des banques. Banque mondiale, Organisation mondiale du Commerce, le BRIC, le G8, ce regroupement prenant l'allure d'un partenariat économique unissant huit pays parmi les plus puissants du monde. Ce sont des organismes comme ceux-là qu'on a créés au départ. Et après, on se surprend à constater que ce sont ces institutions qui contrôlent le monde sans considération pour nous, simples citoyens que nous sommes ? Ce ne sont certainement pas les gens pour lesquels nous avons voté qui décident de notre sort ; ce sont les dirigeants commerciaux, qui disent *grosso modo* à nos hommes politiques : « On s'en va dans cette direction, et tu n'as pas le choix de nous suivre. Parce qu'on n'a qu'à te sortir de *la gang*, et tu seras dans la merde. Tu as besoin de nous. »

Une interdépendance est en train de se créer dans laquelle, ultimement, une seule instance pourra régner. À ce moment, il s'agira d'une prise de pouvoir totale. Celui qui se trouvera au sommet sera pas mal tout seul. Et ça, c'est dangereux.

Pour régner, il faut savoir. La connaissance, c'est l'arme la plus puissante que l'on puisse placer entre les mains d'un dirigeant. Une seule personne ou un petit groupe de personnes ne peuvent pas tout savoir sur la planète. Si c'est possible et concevable, ce n'est certainement pas souhaitable.

Un ensemble de villages unis, pour former un tout solidaire et interdépendant, oui : de toute façon, c'est l'état naturel des choses. Un village global contrôlé par une seule instance, je ne suis pas sûr du tout.

J'ai rencontré de ces hommes seuls au sommet. Des ministres, des députés, des présidents. J'ai eu la chance de rencontrer des gens de cet acabit. J'ai parfois eu la chance de converser avec eux, et je finis souvent par me dire : « Ooooh… qu'ils sont loin de ma réalité ! Et comme je suis loin de la leur ! » Et pourtant, ce sont eux qui tirent les ficelles de ma réalité. Et ma réalité, c'est celle de la majorité.

La mondialisation, c'est une pyramide. Le pouvoir se trouve en haut : de là, on dirige tous ceux qui sont en bas. Le problème, c'est qu'au bas, on commence à être très, très nombreux. La pyramide ressemblera bientôt à un minuscule panneau indicateur fiché dans un long trottoir de ciment. Un immense bloc en bas, et une petite centaine d'individus tout en haut. Ça ne monte plus graduellement. Il n'y a plus de milieu. Ça laisse place à bien des choses atroces.

Avec toutes les connaissances dont on dispose aujourd'hui, pourquoi ne change-t-on pas ce schéma ? Pourquoi n'établit-on pas de nouvelles règles ?

Comme un cancer

La mondialisation telle qu'on l'a pensée ne peut pas fonctionner. Cette mondialisation agit sur la planète comme le fait un cancer sur les cellules d'un organisme. Il n'existe pas de comportement qui soit plus contraire à la nature : aucun organisme vivant, à l'exception des virus, ne dépouillera un écosystème de la totalité de ses ressources – il se déplacera pour aller en trouver ailleurs avant d'arriver au bout des réserves. Il en va tout autrement pour ce qu'on appelle la mondialisation :

puisqu'elle est au service de la machine économique, ceux qui en tiennent les rênes ne s'arrêteront jamais de gruger les ressources jusqu'à ce qu'il n'y ait plus rien. Cet appareil financier n'a pas de scrupule, pas de conscience. Les vies humaines ne comptent pas pour lui. Son monde est fait de chiffres, de statistiques, de données, de pertes et de profits. Ici, pas de morts ni même de vivants : que des numéros. Ceux qui croient tenir les rênes sont eux-mêmes bridés et harnachés. Enchaînés à des obligations futiles et illusoires. Ils croient être des princes alors qu'ils ne sont que des bourreaux stupides au service d'un maître automate qu'ils ont créé de toutes pièces. C'est un peu comme si le monstre de Frankenstein devenait son maître.

C'est sans compter ces chocs qui se produisent. Des chocs religieux, par exemple : en temps de crise, beaucoup de gens se tournent vers la religion. Des chocs sociaux, également : partout en Occident, les systèmes d'éducation se détériorent.

Et cette détérioration n'est pas gratuite. Elle n'est le résultat ni de l'usure du temps, ni d'une évolution due au hasard, ni d'un chemin tout tracé contre lequel on ne peut rien, comme certains le croient. Non. Il y a des raisons à ça. On ne peut pas faire fi du passé, de l'histoire. Quand des gens prennent le pouvoir, bien souvent, ils font de la désinformation, de la « déséducation ». Quand on « déséduque » un peuple, il est plus facile à contrôler. Il ne peut pas se rebeller, ni contester l'autorité – il n'a pas les mots pour ça. Il n'a pas d'outils.

Le système d'éducation est en éclatement. Il n'y a qu'à regarder les réformes, en France, qui menacent d'entraîner plus de 10 000 suppressions de postes dans le milieu de l'éducation. On en a parlé toute l'année dans les journaux. Au Québec, on a modifié plusieurs fois nos programmes d'études. Notamment au niveau des mathématiques. Et quel est, ultimement, le résultat d'autant de modifications ? Des générations d'élèves pour qui les acquis scolaires sont souvent relégués au second plan. Des acquis de base négligés. Des enfants qui ne sont jamais amenés à faire face à leurs erreurs, mais qui un jour devront faire face aux nôtres. C'est comme dire aux jeunes : « Nous sommes désolés, mais les quatre années d'études que tu viens de terminer ne servent à rien parce qu'on a encore changé le programme, et ce que tu as appris n'est plus considéré comme adéquat. Excuse-nous. On vient de te faire perdre quatre ans de ta vie d'étudiant.

J'espère que tu ne nous en voudras pas trop. T'instruire n'est pas une chose facile. Allez! Fonce! L'avenir t'appartient.»

La situation des systèmes éducatifs n'est qu'un exemple parmi d'autres de la détérioration qui survient à l'heure actuelle. J'en reparlerai plus loin.

Et tout ça, je ne crois pas que ce soit en train de se produire sans raison. Des gestes précis nous ont menés à ces réformes, à ces chemins. Et je ne crois pas non plus que l'on puisse affirmer sans l'ombre d'un doute qu'aucun de ces gestes n'a été prémédité… «Bon, encore cette fameuse théorie du complot!», me direz-vous. On ne peut pas tout réduire à une présumée théorie des complots, bien sûr que non. Mais est-ce que vous êtes en train de me dire que dans toute l'histoire de l'humanité, il n'y a jamais eu de complots? Jamais?

Le terme même, «complot», est peut-être fort. Mais, si je suis si choqué, c'est justement que je crois à l'intelligence et à la bonne volonté de ceux qui mettent en branle ces réformes. Je me dis qu'ils ont aussi des enfants, qu'ils les veulent sages et instruits. Je les vois comme des guides, des maîtres, dans le sens qu'ils maîtrisent un savoir qu'ils rêvent de partager avec des esprits avides de connaissances. Je veux croire qu'ils veulent servir nos desseins communs. Nous amener à l'avancement de l'humanité. Si l'un d'entre nous trouve une issue et parvient à s'accomplir en tant qu'humain, cette issue sera nôtre, elle appartiendra à toute l'humanité.

Nous sommes un.

L'être humain est un être de volonté, de libre arbitre. Je crois que sa destinée – je parle de la destinée de la race humaine, non de celle de quelques individus – ne peut évoluer de façon totalement fortuite et aléatoire. Il nous faut un plan. Un plan à long terme.

Lorsqu'on parle de plan à long terme pour l'humanité, on ne peut pas espérer être là pour suivre l'évolution du plan, pour l'éternité. En tout cas, pas encore. On doit accepter qu'on ne fait que passer. Qu'on ne peut que faire sa part et qu'ensuite, il faudra laisser la place à un autre, qui fera lui aussi la sienne. Ainsi de suite.

Que l'on se penche simplement sur nos systèmes politiques.

Qu'est-ce qui motive un être humain d'aujourd'hui à se lancer en politique? Sans nécessairement entretenir le dessein de dominer la Terre, nos politiciens désirent prendre le pouvoir. C'est clair.

Mais quel pouvoir? Celui de nous servir? De rechercher coûte que coûte le bien commun? Je ne pense pas. Ce que je vois sur nos écrans de télévision, c'est tout le contraire: «Je veux que le premier ministre, le président, ce soit moi et pas lui. Je veux être calife à la place du calife. Je veux être commandant en chef des armées et faire ce que je veux de la vie de vos enfants. Mes idées sont les meilleures, je suis votre leader, alors c'est moi qui décide. Je suis au pouvoir, mieux; je suis le pouvoir. Vous avez voté pour moi, ce que vous pensez dorénavant n'a pas d'importance. Je suis seigneur et maître.»

Je ne sais pas pour vous, mais c'est ce que je perçois à l'heure actuelle. Nul n'est infaillible, ma perception est peut-être erronée? Si c'est le cas, sur ce sujet, je ne suis pas seul à être dans l'erreur. Je regarde autour de moi, et bien que la Terre soit très vaste, ceux qui pensent comme moi commencent à être sérieusement à l'étroit. On n'a qu'à penser aux accusations portées contre Stephen Harper, chef du Parti conservateur et aujourd'hui premier ministre du Canada, qui aurait tenté, en 2005, d'acheter le vote du député indépendant Chuck Cadman, dont la voix aurait permis aux conservateurs de renverser le gouvernement de Paul Martin. Cette manœuvre, qu'elle ait eu lieu ou non, avait alors échoué. Harper a été élu premier ministre en 2006. Comment? En promettant un gouvernement «propre»... La GRC a fait enquête. Le gouvernement est dans l'eau chaude; des politiciens ont triché.

Je vais me montrer puriste, mille pardons, mais au hockey, si six joueurs d'une même équipe se retrouvent en même temps sur la patinoire, l'équipe se trouve dans l'illégalité. Si un but est compté à ce moment, le point est annulé. Un joueur doit aller purger une pénalité. Même si ce but a permis à l'équipe de gagner la coupe Stanley, on l'annule quand même, et le point ne compte pas.

Il est juste, notre système politique. Les membres du gouvernement ont triché, donc on fait une enquête. Mais pendant l'enquête, le gouvernement demeure au pouvoir. Les lois qui sont alors instaurées, qui seraient normalement invalides puisque le gouvernement a triché, nous, citoyens, les appliquons quand même. Les décisions qui sont prises

– comme celle d'envoyer nos soldats en Afghanistan se faire tuer et tuer des gens, décision que n'appuient pas une majorité de Canadiens, comme les statistiques le démontrent – devraient être illégales. Mais tout le monde les accepte. On n'a pas le choix. Et en plus, le règne de notre gouvernement ne serait pas légitime ?! Ça veut dire qu'il faudrait annuler tout un paquet de lois et de jugements...

Mais comment on fait pour « annuler » tous ces jeunes qui sont morts ? Comment on annule les séquelles que subiront probablement à vie ceux d'entre eux qui survivent ? Notre système ne fonctionne pas. Et Harper, il a fait ça pour quoi ? Pour être calife à la place du calife. Par tous les moyens possibles. Même s'il faut tricher. Même s'il faut agir au détriment de tout un peuple. C'est ce qu'on vit ici chez nous, dans notre beau et grand Canada, et ça se passe partout dans le monde.

La démocratie, il faut la changer. On a tellement martelé les gens avec l'idée qu'il n'y a rien de mieux que la démocratie... Aussitôt qu'on dit un truc comme celui que je viens de dire, les gens nous regardent et se disent : « Il est fou ! » Mais quand on y pense, le communisme aussi, c'était une bonne idée, et ça n'a pas si bien tourné... parce que ça n'a jamais existé, en fait. On ne l'a jamais appliqué d'une façon qui soit fidèle à l'idéologie de base. Comme la démocratie n'a jamais existé. On ne l'a pas appliquée non plus. Je ne suis pas prêt à dire qu'elle n'est pas applicable, mais, en tout cas, elle n'est pas appliquée. Nous votons effectivement librement pour des gens qui font des promesses qu'ils ne respectent pas et qui éventuellement prennent des décisions pour nous. Si c'est ça, la démocratie, il est grand temps de la secouer. Cette situation n'est pas normale, mais c'est ainsi que fonctionne notre système politique, que nous qualifions de démocratique. En plus, nous n'avons aucun pouvoir sur nos élus. D'autres gens les contrôlent. Les corporations les contrôlent, le commerce les contrôle, comme je le disais plus haut. D'ailleurs, bien des événements ont eu lieu, au cours des dernières années, qui nous indiquent que, concrètement, nous ne votons pas pour eux. Si nous ne sommes pas maîtres de leurs décisions, ils ne le sont pas plus. Qu'est-ce qu'on fait à partir de tous ces constats ?

Ce n'est qu'un symptôme de cette mondialisation que l'on est en train de vivre. Et ça ne se passe pas seulement ici. Ça se passe dans tous les pays. En France, en Italie, aux États-Unis… Tous des pays, étrangement, où les gens ont voté à droite. Tous ces pays où l'éducation se détériore, où des gens se font élire en employant des moyens louches ou en truquant des scrutins, ce sont des républiques bananières comme toutes les autres. Tout ce qui se passait dans les pays pauvres, tout ce que des pays riches ont fait subir à des nations moins bien nanties, on s'est rendu compte en Occident qu'on pouvait le faire chez nous, et qu'on pouvait le faire en préservant une apparence de légalité. Qu'on pouvait le faire impunément, en sortir riche, rester dans la petite poche des grandes compagnies, faire de l'argent… On est les *kings*! Le président de la France, personne n'a le droit de le toucher. Harper au Canada, Bush aux États-Unis, c'est pareil. Sécurité, immunité totales. Il ne peut rien leur arriver. Ils ont toujours les mains propres. Quiconque se retrouve dans cette situation fera tout en son pouvoir pour garder les gens le plus ignorants possible, ce qui lui permettra d'agir à sa guise… Ce qui lui permettra toute forme d'ingérence, même auprès des gouvernements d'autres nations.

Est-il réellement impensable que notre Premier ministre prenne un jour l'avion pour aller dire au gouvernement d'un autre pays qu'il est temps de changer son chef? Le gouvernement républicain de George W. Bush l'a bien fait en Iraq… sous de faux prétextes et sans avoir obtenu de mandat de l'ONU. Imaginons un Afghan qui se pointerait au Canada, aux États-Unis d'Amérique ou en France et rencontrerait le premier ministre ou le président pour lui dire que son ministre de la Justice est un incompétent, qu'il faut le destituer et mettre à son poste un remplaçant désigné par le gouvernement afghan! On lui répondrait probablement: «T'es qui, toi? Es-tu Québécois, Américain ou Français pour venir te mêler de la gestion de notre système? Ça ne se fait pas!» Pourtant, ça se fait.

Et même dans le cas d'un pays qui agirait «légitimement», mandat de l'ONU en main, comment voulez-vous que les pays dont le gouvernement a été démantelé par des étrangers puissent respecter ces gens? Ont-ils des raisons de se fâcher? On les traite comme des enfants, comme des êtres incapables de s'autogérer. Leur premier ministre, leur président, celui qui les représente, il leur a été imposé. Et au nom de la démocratie, il agit en despote et change tout. C'est déraisonnable sur toute la ligne.

On en revient encore à la protection de la suprématie occidentale, d'une certaine façon. Imposer nos façons de voir, nos façons de gouverner, c'est garder la mainmise sur des pays dont on pourra éventuellement, par exemple, exploiter les ressources. Cette mondialisation, comme ça, ne peut pas être, ne peut pas fonctionner. On ne peut pas faire de telles choses, ça ne se fait pas. Nous le savons tous.

Bien sûr, il y a des réactions à ce qui se passe. L'invasion américaine en Iraq a soulevé de grandes protestations populaires. Les irrégularités éthiques du gouvernement conservateur canadien font l'objet d'enquêtes. Mais pour la majorité de la population, l'opinion est une chose qui prend forme dans le moule des médias. Je m'imagine très bien Stephen Harper disant : « OK, pas de problème, vous pouvez faire votre enquête. Cependant, tout ce qui est susceptible de sortir au niveau médiatique doit passer par mon bureau. C'est moi qui décide à quel média l'info sera envoyée et à quel moment, et comment elle sera diffusée. » Hé ! Ce sont des choses que disait Hassan II, ce sont des choses que disait Duvalier ! Ce sont les tactiques d'Adolf Hitler ! Qu'est-ce que vous ne comprenez pas ?! C'est exactement la même chose ! C'est au moment où un homme politique contrôle les médias qu'il prend réellement le pouvoir, et nous, les citoyens, n'avons plus notre mot à dire. Le système qui nous régit, ce n'est plus une démocratie. Qui ose dire ça, dans les médias ? Personne. Pourquoi ? Parce qu'ils n'ont même plus le pouvoir de choisir leur propos. Ils n'ont plus le droit de parole. Si on porte une attention particulière au langage des lecteurs de nouvelles, on s'aperçoit qu'ils se protègent drôlement : « Les faits qui ont été rapportés par telle source… Jusqu'ici, on ne parle que de suppositions… Le présumé ci, le présumé ça… », sans compter l'usage abusif de la forme conditionnelle des verbes !

De par le monde, des journalistes sont encore assassinés dans les rues pour avoir parlé, pour avoir écrit… pour avoir posé une question de trop. Ici, au Québec, apparemment, ça n'arrive pas, mais nos journalistes se plaignent des conditions dans lesquelles ils doivent faire leur travail. « On ne peut pas travailler, qu'ils disent. On n'a pas le droit de dire ce qu'on veut dire. » Ils ne se font pourtant pas tirer dessus dans la rue, mais ici, on les tient par un autre point sensible. Ce n'est pas leur vie qu'on menace. Ou plutôt, oui. Mais la nuance, c'est qu'ici, pour tout le monde, la vie tient à l'économie. Elle tient à notre capacité de payer le loyer ou l'hypothèque, de payer nos impôts, de nous vêtir, de nous nourrir, de nourrir nos enfants, de les envoyer à l'école, de payer nos assurances, de conduire notre auto, de payer l'essence, d'aller en vacances. Quand on perd un emploi, on ne perd pas qu'*une job*, on perd la capacité de préserver notre niveau de vie.

On peut même aller jusqu'à menacer quelqu'un de lui faire perdre son motorisé et son deuxième chalet dans le Nord! On peut tenir quelqu'un par le luxe. En fin de compte, l'esclavage n'a peut-être pas disparu, quand on y songe…

C'est là qu'on en est.

Qu'est-ce qu'on fait avec ça? Comment on gère cette situation? Je n'ai pas les solutions. Je suis un citoyen comme les autres. Ni plus ni moins brillant que les autres. Comme eux, je vois, je respire, je vis notre époque, mais je me sens profondément responsable de ce qui se passe dans ce monde qui est aussi le mien et je ne peux rester sans rien dire. Je ne suis pas le seul à le faire et heureusement : tout ce que je dis, oui, ça s'écrit dans certains journaux, ça se dit. À la manière ultraprudente de nos journalistes, mais quand même, ça se dit. Cependant, encore trop peu de gens réagissent vraiment. On parle, on parle, mais je ne vois pas la population descendre dans les rues. Je ne vois pas les citoyens créer des associations, gueuler et dire : « Hé ! Attendez une minute. Il faut qu'on arrête ça. C'est quoi, cette affaire-là ? » Je n'ai entendu personne, dans les médias, lorsqu'il se sent muselé, se lever et dire : « OK, tant pis, je suis prêt à la perdre, *ma job*. C'est pas grave. C'est une question de principe, il faut que ça s'arrête. Je ne demande qu'à faire mon métier de journaliste, tel que je l'ai appris, tel que je l'ai rêvé et avec intégrité. »

Peut-être que la croissance de l'individualisme et la perte de l'esprit de communauté jouent aussi là-dedans. Se rassembler, s'unir, c'est quelque chose qu'on a de plus en plus de difficulté à faire. On a institutionnalisé le rassemblement civil. Aujourd'hui, le rassemblement s'appelle gouvernement, et le gouvernement représente une des instances dirigeantes qui tiennent les médias en laisse.

Si vous avez quelque chose à dire, si vous n'êtes pas content de ce qui se passe, la plupart du temps, vous n'en parlez pas, vous ne sortez pas dans les rues ; vous attendez les prochaines élections et votez pour des promesses qui ne seront pas nécessairement tenues. Vous pouvez aussi en parler à votre syndicat. Et c'est votre syndicat qui décide s'il est prudent d'évoquer publiquement le problème. Après tout, il vous représente. Mais le syndicat, à qui doit-il répondre ? À vous ? À la société civile planétaire ? Votre syndicat, à qui parle-t-il ? À votre patron qui, lui, doit répondre aux autres patrons ? Les autres patrons, c'est qui ? Convergence oblige, ils sont, la plupart du temps, à la maison mère, située au centre névralgique d'une grande ville, au quarantième étage d'une belle grande tour de verre, d'où on dirige un conglomérat d'une bonne vingtaine de compagnies. Ils sont en Inde, au Brésil, aux États-Unis, en Chine, aux Émirats arabes unis, etc. Eux ont des firmes de lobbyistes qui exercent à coups de millions des pressions sur les pouvoirs publics afin d'obtenir des intérêts particuliers. Eux achètent des publicités. Eux décident des tendances, des modes, de certaines lois qui passeront ou ne passeront pas et souvent, ils décident même de qui vous gouvernera. Ce n'est pas nous, individus, citoyens, qui décidons. On nous a enlevé le pouvoir de décision. On nous l'a enlevé depuis longtemps. Nous sommes sans cesse manipulés et bernés. Nos dirigeants sont devenus des experts dans l'art de la ruse et du faux-semblant. Aujourd'hui, ceux qui contrôlent les médias contrôlent le monde.

Si George W. Bush a gagné ses premières élections, c'est grâce aux médias. Et s'il a remporté les secondes, c'est grâce aux médias. Mais c'est grâce aussi à notre façon de penser. Ce n'est pas compliqué, tout le monde sait qu'il a triché. Mais à la minute où quelqu'un l'officialise, le déclare publiquement et porte plainte auprès des autorités, à la minute où on évoque même l'idée de tenir un procès en justice, on vient de dire haut et fort que notre système ne fonctionne pas. Est-ce qu'on peut faire ça ? Oui, on peut ! Mais on nous DIT que c'est trop dangereux. Et il menace qui, ce danger ? Il menace ceux qui y perdraient le pouvoir. Le danger n'est pas pour nous, il est pour eux. Qu'est-ce qui nous retient, alors ?

Le premier pas du peuple responsable

Qui répondra à toutes ces questions ? C'est à nous tous de le faire. Je pense que c'est notre responsabilité de répondre à ces questions, et pas seulement de les poser. C'est notre responsabilité de sortir dans la rue pour faire entendre notre voix.

Mais si on se soulève, si des changements sont demandés, est-ce qu'on sera capables de les mettre en marche ? Ça pourrait bien se produire. Prendre la parole pour déclarer qu'un système ne fonctionne pas, ça revient à dire que ce système doit changer.

S'il faut que ça change, ça signifie qu'il faut nous responsabiliser. C'est drôlement plus amusant de regarder la télévision ! Eh bien, voilà. C'est pour ça que nos dirigeants, bien tranquilles, se disent : « Pas de problème ! Ils n'accepteront jamais de prendre leurs responsabilités de toute façon. Ils n'accepteront jamais d'investir ce qu'il faut pour provoquer de vrais changements. » De vrais changements, ça implique que, pendant une certaine période, on se retrouve dans un état, disons, flottant. On ne sait pas trop ce qui se passe, on ne sait pas ce qu'il va arriver avec notre économie, etc. Ça peut faire peur, mais accepter ce risque, c'est un premier pas vers une vie meilleure. Alors, qu'est-ce qu'on attend ? Comme je le disais plus haut, on attend d'arriver au pied du mur.

Aux États-Unis, ça risque de se produire très bientôt, d'ailleurs. Ils vont arriver au pied du mur avant les autres. Pourquoi ? Parce qu'ils sont en avant du bateau. Ils seront les premiers à frapper le mur. Économiquement, ça ne va vraiment pas. Ils sont dans le pétrin. C'est pour cette raison qu'ils commencent à être prêts à changer leur façon de vivre. Et ils doivent bien voir que, de toute façon, d'autres puissances économiques s'en viennent, qu'elles sont plus grosses qu'eux, plus nombreuses, qu'elles ont plus d'argent. Et ce que les États-Unis ont enseigné au reste du monde, ces puissances émergentes sont en train de l'assimiler et de surpasser le maître. Il n'y a rien que les Chinois sont en train de faire aujourd'hui qu'on ne leur a pas appris. Il y a 300 millions d'Américains et 1,3 milliard de Chinois. Si la moitié d'entre eux seulement se met à agir selon le modèle occidental, c'est fini.

L'acronyme BRIC, ça vous dit quelque chose ? Brésil, Russie, Inde, Chine. Quatre pays à forte croissance économique dont le poids, dans l'économie mondiale, augmente. À titre indicatif, regardons les chiffres :

Le Brésil :
8 547 400 kilomètres carrés, 184 000 000 habitants.

La Russie :
17 000 000 kilomètres carrés, 142 000 000 habitants.

L'Inde :
3 287 590 kilomètres carrés, 1 100 000 000 habitants.

La Chine :
9 634 057 kilomètres carrés, 1 321 850 000 habitants.

Ces quatre pays s'unissent. C'est en train de se faire. On peut le lire en entrefilet dans les journaux. Ils s'unissent pour quoi ? Pour créer une instance économique et pour prendre le pouvoir. Ils représentent 40 % de la population mondiale, et près de 30 % du PIB de la planète. Le PIB total du BRIC devrait égaler en 2040 celui du G6 (États-Unis, Japon, Royaume-Uni, Allemagne, France et Italie). On estime que chacun de ces quatre pays se situera en 2050 au même niveau que les principales puissances économiques actuelles : États-Unis, Japon, Allemagne, etc. Ensemble, le BRIC pourrait faire contrepoids au G8, dont la Russie fait déjà partie.

Donnez-leur 10 ans, et ils seront devenus bien plus grands que le reste du monde. On est rendus là. Et ça, ça veut dire quoi ? Ces pays grossissent et se rendent compte des changements qui se produisent. Ils se rendent compte qu'ils ont accès au pouvoir. Ils vont éventuellement s'unir pour créer des instances économiques. La Chine parle à l'Inde. Ces deux pays représentent le tiers de la population de la planète ! S'ils se mettent ensemble et qu'ils créent une monnaie, bye-bye le dollar américain ! Et s'ils ne s'unissent pas, ils meurent. Alors, ils vont s'unir. Ils vont s'unir à l'Amérique du Sud, c'est déjà en place.

Et l'Afrique, alliée naturelle, s'unira probablement à l'Asie. La Chine est en train de s'implanter en Afrique. C'est l'endroit sur la planète où il y a le plus de matières premières.

Ils s'associent, et ils le font bien. Ils apprennent la langue. Ils ne donnent pas d'argent ; ils construisent des ponts, des routes et d'autres infrastructures. Ce n'est pas pareil. Ils n'ont pas de problème d'hégémonie non plus : la Chine n'a pas participé à la traite négrière. Aucune notion de supériorité dans ce sens ne se place donc en travers de leurs échanges. C'est une autre mentalité, une autre façon de faire. Il y a aussi des zones grises, mais les territoires inoccupés sont plutôt rares en Asie. Alors, tôt ou tard, la marée asiatique déferlera sur les autres continents. C'est déjà commencé. Lors de mon dernier séjour en terre africaine, les Indonésiens, Chinois et autres Asiatiques étaient beaucoup plus présents. L'Ouest canadien est de plus en plus asiatique. Les investissements asiatiques sont de plus en plus ambitieux de par le monde. Êtes-vous allé à Paris dernièrement ? Les Chinois ne sont plus que dans le treizième, ils sont partout. Moi, je n'ai rien contre, vive le mélange !

Ainsi, avec tous ces changements gigantesques qui s'annoncent, si nous gardons l'esprit fermé, si nous choisissons de demeurer chacun chez soi à regarder la télévision, je dirais que nous manquons le bateau, mais le bateau dont on parle, il n'y a pas moyen de le manquer, puisque nous sommes tous dedans... Il y a moyen cependant de s'emmurer dans nos cabines plutôt que de sortir sur le pont, et d'attendre la secousse sans broncher, en se cramponnant aux bras du fauteuil.

Nous sommes vraiment à une époque d'attente. Le changement est imminent, et il sera grandiose. Il peut nous permettre de vivre éternellement, ou il peut nous détruire totalement en très peu de temps. À l'instant même où vous lisez ces pages, nous sommes chaque seconde sur le point d'exploser et de disparaître. C'est une réalité. Il y a plus de gens et de technologie sur la Terre qu'il n'en faut pour détruire 400 Terres. Mais on n'a qu'une planète, et on est tous dessus.

Et il y a encore des gens qui se demandent : « Pourquoi les extraterrestres ne viennent pas nous rendre visite ? » Viendriez-vous, vous, si vous étiez à leur place ? Si leur technologie leur permet de venir sur la Terre, elle leur permet certainement aussi de constater que la Terre est une bombe. Si j'étais à leur place, je ne viendrais pas ! Je ne viendrais pas me promener sur une bombe !

Chapitre 2
UN SURVOL DES
AVANCÉES TECHNOLOGIQUES

Le niveau de connaissance le plus élevé qu'on pouvait acquérir il y a 150 ans, en mathématiques par exemple, les élèves l'acquièrent aujourd'hui en cinquième année du secondaire, qui est l'équivalent du lycée en France. La connaissance a tant évolué qu'il est parfois difficile de s'y retrouver. Mieux, on ne voit plus la limite des avancées technologiques qui sont encore susceptibles de se produire dans l'avenir.

Il n'y a qu'à regarder ce concept simple et révolutionnaire qu'on appelle la nanotechnologie. Ce n'est qu'un exemple parmi tant d'autres. La nanotechnologie, c'est une technologie, mais c'est aussi une nouvelle façon de voir la matière. Un physicien s'est dit un jour, tout bonnement : « Ça fait 200 ans qu'on essaie de tout rétrécir, de tout miniaturiser. On veut fabriquer la plus petite télé au monde. On fabrique des circuits électriques intégraux, les plus petits possible. Arrêtons de toujours tendre vers le plus petit ! Quelle est la chose la plus petite au monde ? C'est un atome. Alors, plutôt que de partir de plus grand, on va inverser le procédé : on va partir de l'atome, du nano, et on va construire à partir de là. L'atome, c'est la base, c'est avec ça que tout est construit. Eh bien, partons de là. Retournons au plus petit et construisons. » Le jour où ce type a imaginé ce principe, il a découvert le doigt de Dieu.

C'était en 1959. Ce monsieur s'appelait Richard Feynman. Prix Nobel de physique en 1965, il a été le premier à ouvrir la voie à ce domaine de recherche jusqu'alors inexploré.

Et cette technologie va révolutionner le monde. Elle le fait déjà.

Le Nokia Morph

La compagnie Nokia, conjointement avec des chercheurs de l'Université de Cambridge, à Boston, vient de créer un nouveau modèle de téléphone portable, le Morph. Ce n'est plus un portable, c'est un téléphone carrément biologique. C'est hallucinant. Le téléphone est fabriqué grâce à des procédés nanotechnologiques. Mais puisque la nanotechnologie est la base de la nature, le téléphone en question, hypersensible, va pouvoir vous informer non seulement au sujet de la température, mais de tout ce qui se trouve autour de vous. Vous appuierez sur une touche, et la machine dira par exemple: « Il y a tant de CO_2 dans l'atmosphère, là où vous vous trouvez. » Si vous renversez par accident un verre de vin sur l'appareil, ça ne lui fera rien: ce sera comme si le vin avait été renversé sur une feuille d'arbre. Les poils nano-technologiques vont gentiment repousser le liquide chimique du vin – puisqu'on retourne à la base, n'oublions pas que le tout est composé d'atomes. L'appareil pourra donc déceler les atomes qui font partie de son groupe et rejeter les autres. Alors, les gouttes de vin vont tranquillement s'écarter, et le téléphone sera toujours sec.

Ce téléphone portable existe déjà, même s'il n'est pas encore disponible sur le marché. Une vidéo présente ce produit sur le site Internet de Nokia, à l'adresse: www.nokia.com/A4879144.

Si on extrapole à partir d'une invention comme celle-là, on est rendus où?! Si cette compagnie peut produire un téléphone pratiquement biologique comme celui-là, l'armée américaine, elle est rendue où, elle, au niveau nanotechnologique?

Tant de choses nous sont déjà accessibles qu'on peut avoir le vertige rien qu'à y penser.

Les possibilités et les dangers de la nanotechnologie

Extrapolons un peu. Le jour où quelqu'un comprend le principe de la nanotechnologie et acquiert connaissance et matériel nécessaires à la manipulation des atomes, il se trouve en mesure de créer un peu n'importe quoi.

Parce qu'il contrôle la nature. Il contrôle l'essence des choses.

C'est la base de la construction ! Et cette base, elle n'est pas nombreuse, contrairement à ce que l'on croit. Il n'y a qu'à regarder le tableau périodique des éléments. La chimie, ça tient sur une page. Une page ! Ce n'est pas beaucoup ! Et avec ces éléments chimiques qui tiennent sur une seule page, il est possible de fabriquer tout ce qu'on connaît. Dès qu'on dispose de cette base, on peut recréer tout ce qu'on veut. Alors, qu'est-ce qu'un diamant ? Il ne s'agit que de prendre chacun des éléments de base et de les mélanger pour créer un diamant. C'est quoi, de l'eau ? H_2O. Deux atomes d'hydrogène et un atome d'oxygène, et voilà, on peut fabriquer une goutte d'eau distillée, parfaite, pure.

À la seconde où quiconque est capable de faire ça, qu'est-ce qui arrive ? Non seulement cette personne détient le pouvoir de créer, mais aussi celui d'enlever la valeur à toute chose. Vous vous dites : « Mais qu'est-ce qu'il a bien pu fumer, le *Black*, pour nous sortir des trucs comme ça ? »

Si on poursuit dans la même ligne de pensée, on peut aller jusqu'à dire qu'éventuellement, l'argent n'existera plus. Selon moi, l'argent, c'est déjà un concept. Comme on l'a vu, les nations sont en train de s'unir. Toute l'Europe s'est unie, et on y a adopté une seule devise. Les Amériques s'uniront et créeront à leur tour une monnaie unique. D'autres pays s'unissent économiquement. La prochaine étape, c'est de créer une monnaie commune pour chaque continent.

Ainsi, il n'y aura plus que quatre ou cinq devises sur la planète. Éventuellement, le monde s'entendra pour dire qu'il serait bien plus simple de n'avoir qu'une seule monnaie. Et une fois qu'il n'y aura plus qu'une seule monnaie ? Cinq, quatre, trois, deux, un… zéro. À un moment donné, il n'y aura plus de monnaie. Quelle sera alors l'unité d'échange ?

Voici ma réponse. Je vous entends d'ici vous écrier : « Luck, tu es un idéaliste ! » N'empêche que je pense que la seule vraie devise ne peut être une devise. La seule vraie monnaie, en ce qui me concerne, c'est le bien de l'humanité. Le bien commun. La seule vraie monnaie, c'est de pouvoir dire à son voisin : « Je n'ai rien à te donner, parce que tu as déjà tout. » Imaginons que, dans votre salle à dîner, comme dans *Star Trek*, vous n'ayez qu'à dire : « Chateaubriand pour deux ! » pour que la viande apparaisse, ainsi que votre assiette. Désolé, mais à la seconde où cette machine-là se retrouve dans les maisons, le Chateaubriand pour deux ne vaut plus rien. Alors, on se tourne vers quoi? Vers le goût, vers le bon. Puisque le luxe sera désormais facilement accessible, la valeur des choses aura disparu. C'est le même principe que celui selon lequel, grâce à la nanotechnologie, nous pourrions parvenir à créer des diamants parfaits. Si le concept de rareté devient obsolète, la valeur monétaire disparaît. D'autres valeurs naîtront.

On peut dès lors entrevoir un nouvel âge d'or. Tout comme la Renaissance. Sauf que cette fois-ci, ce serait une période de renouveau, mais à grande échelle. La diffusion de connaissances nouvelles de toutes sortes serait universelle.

Notre vrai salaire sera donc le bien de l'humanité. Ce sera d'arriver à faire ce qui est nécessaire pour avancer, pour explorer, pour aller plus loin, pour grandir, pour évoluer, pour apprendre, pour comprendre et se dépasser. Ensemble.

Je ne sais pas si vous avez remarqué, mais au niveau technologique, plus on avance, plus la technologie est rapidement accessible. Ça va à l'encontre de notre système économique, qui voudrait que la valeur de tout nouveau produit soit croissante. En réalité, c'est l'inverse qui prévaut. Plus on avance technologiquement, plus on se rend compte qu'on fonctionne avec des choses de plus en plus petites, à la portée de tous et abordables. La nano, c'est partout. Ça fait partie de tout. C'est quoi, la valeur de ça? La terre, c'est de la nano, ce sont des atomes, il y en a partout. Ça ne coûte rien. Le jour où il sera possible de remplir de terre le réservoir d'un vaisseau spatial et de partir simplement dans l'espace, combien il en coûtera pour faire le plein? De la nano, des atomes, il y en a partout. On ne pourra bientôt plus rien faire payer à personne. Quand on y pense, il y a plus d'énergie dans un atome de plutonium que dans le pétrole qu'on nous vend…

$E=mc^2$. La plupart des gens ne réalisent pas la portée de cette équation. C'est une équation apparemment simple, mais qui est d'une grande complexité. Je ne veux pas entrer dans les détails intrinsèques de ladite équation, car je ne suis certes pas un Einstein… Allez! Je fonce quand même dans cette énorme vulgarisation. E est l'énergie exprimée en joule. Le m, c'est la masse en kilogramme; c, c'est la vitesse de la lumière, à la puissance deux. C'est quoi, la vitesse de la lumière?

299 792 458 mètres à la seconde. Et n'oublions pas que l'équation, c'est mc². Alors, c'est la masse, multipliée en plus par le résultat du c². Imaginez maintenant la masse d'une particule, aussi petite soit-elle, mais multipliée par le carré de la vitesse de la lumière qui est 299 792 458 mètres à la seconde. C'est hallucinant ! Un truc de fou ! C'est ce que ça donne comme énergie. Voyez-vous la grandeur de ce que ça représente comme pouvoir ? Et tout ça se trouve dans un atome invisible à l'œil nu. Avec un seul atome, votre voiture fonctionnerait pendant tellement longtemps que vous ne vivriez jamais assez vieux pour la voir tomber en panne. C'est ainsi que notre Soleil peut émettre son énergie pendant des dizaines de milliards d'années.

Alors, vous comprenez que le jour où une façon simple et sécuritaire existera pour contrôler une telle puissance, la notion même de dépenser pour une énergie devenue omniprésente sera obsolète. Un jour, on va arriver là, on va comprendre ce principe et s'en servir efficacement, donc sans qu'il y ait de danger pour personne, surtout pour la planète Terre… Parce qu'on peut détruire notre planète quand on a des pouvoirs comme ça. Imaginez simplement l'énergie qu'il y a en vous, en un seul organisme humain ! Les gens ne réalisent pas que si un individu dispose de l'énergie générée par l'atome, il n'a plus besoin d'acheter de l'énergie. Ce qui équivaut à faire disparaître la valeur de l'argent également. Tout le concept se résume à ça.

Ce que je dis peut sembler complètement fou, mais les frères Wright aussi avaient l'air fou quand ils disaient qu'ils feraient voler un avion. Quand Jules Verne a écrit qu'un jour, on fabriquerait des vaisseaux qu'on pourrait coller les uns aux autres et qui nous permettraient d'aller sur la Lune, on disait que c'était de la science-fiction. « Hé, t'as toute une imagination, toi ! » Quand de Vinci disait qu'on pourrait construire des sous-marins et des chars d'assaut qui lanceraient des projectiles à grande distance, on qualifiait ça de chimères. Eh bien, mes excuses, mais nous y sommes aujourd'hui.

L'âge d'or

La technologie avance à une vitesse exponentielle. Et je pense que c'est ce qui fait peur aux gens qui sont au sommet. Je crois que certains tenteront de ralentir le processus le plus possible. C'est clair que quelqu'un, à un moment donné, va au moins essayer de mettre le pied sur le frein. Si nous avons tous accès gratuitement à la même énergie, au même luxe, et que, finalement, plus rien ne vaut rien, la hiérarchie économique par laquelle le monde entier se définit va rapidement tomber en désuétude. Tout ce qui aura alors une quelconque valeur sera la pensée, la façon de voir le monde. Tout ce qui comptera alors sera de s'éduquer.

La philosophie des Lumières, au XVIIIe siècle, a pris naissance quand des hommes riches de connaissances et assoiffés de liberté se sont retrouvés seuls avec leurs pensées :

> Les Lumières ont marqué le domaine des idées et de la littérature par leurs remises en question fondées sur la «raison éclairée» de l'être humain et sur l'idée de liberté. Par leur engagement contre les oppressions religieuses, morales et politiques, les membres de ce mouvement, qui se voyaient comme une élite avancée œuvrant pour un progrès du monde, combattant l'irrationnel, l'arbitraire et la superstition des siècles passés, ont procédé au renouvellement du savoir, de l'éthique et de l'esthétique de leur temps. L'influence de leurs écrits a été déterminante dans les grands événements de la fin du XVIIIe siècle que sont la Déclaration d'indépendance des États-Unis d'Amérique et la Révolution française. (Source : *Wikipédia*)

J'ai l'impression que l'Histoire se répétera, mais à grande échelle et que, bientôt, nous comprendrons que la vraie richesse, c'est de n'avoir plus besoin de rien. Que le désir résulte du manque. Qu'en avoir trop, c'est comme ne pas en avoir assez. J'ai l'impression que la recherche de l'équilibre est entamée et que rien ne pourra l'arrêter. Que nous comprendrons bientôt qu'être riche, ça n'a rien à voir avec un grand château, une voiture de luxe, etc. C'est réellement n'avoir besoin de rien.

Et une personne qui peut jouir de cette richesse-là, vers quoi est-elle susceptible de se tourner? Puisqu'elle n'a pas d'autre choix, elle se tournera vers la pensée. Plus besoin de se battre pour se nourrir ni de se défendre contre les dangers. Ce qu'il reste à faire, c'est réfléchir. C'est s'améliorer à l'intérieur, dans la tête.

C'est vers ça qu'on s'en va. L'âge d'or de notre époque, ce sera ce retour aux idées que provoquera la disparition de la valeur des choses. Nous devons aller vers cet âge d'or. Et pour nous y rendre, je pense sincèrement que le métissage, que nous aborderons un peu plus loin, est un passage obligé. La connaissance scientifique nous permet désormais de comprendre que nous, humains, sommes tous les mêmes, que nous vivons tous la même chose, que nous allons tous dans la même direction. Ce n'est qu'une question de temps avant que cette idée ne domine toutes les autres.

Nous sommes cependant à la croisée des chemins. Ce qui urge, pour tout le monde, c'est d'acquérir la sagesse de nos connaissances. Sinon, on risque de sauter avant d'atteindre l'état de richesse précédemment décrit. Le problème, c'est que plus on avance, plus on sera nombreux à détenir le pouvoir de faire sauter la planète. Plus on avance au niveau techno-logique, plus on a accès à la technologie, et plus elle est facile à reproduire. Plus facile pour tout le monde. Par exemple, quelque temps à peine après l'arrivée du iPhone sur le marché, un jeune informaticien norvégien de 24 ans a réussi à activer l'appareil sans souscrire une offre d'abonnement de la compagnie AT&T, l'opérateur exclusif du terminal téléphonique sur le territoire américain. C'est un acte de pira-tage qui peut sembler banal, mais si un individu réussit à contourner les mécaniques complexes d'un appareil de tout dernier cri, cela ne lui serait probablement pas bien compliqué de reproduire un missile drone... Un drone est un aéronef qui ne requiert pas de présence humaine à son bord pour effectuer ses missions, soit porter à destination des charges explosives ou une caméra pour de l'espionnage. Des avions et des hélicoptères téléguidés existent sur le marché depuis un certain temps. Sur Internet, des compétitions de drones existent déjà.

Toute connaissance représente un danger lorsqu'on n'a pas la sagesse qu'il faut pour la gérer. Mais la sagesse, la connaissance, le fait de savoir et d'accepter que nous sommes tous les mêmes représentent notre salut. Si nous comprenons la nature, et si nous savons que nous pouvons aller plus loin, que nous pouvons évoluer, nous n'irons certainement pas vers la destruction. C'est principalement une question d'éducation. Je crois qu'il y a de l'espoir. Nous devons avoir de l'espoir.

Le seul problème, c'est qu'avant d'arriver à cette compréhension salvatrice des choses, à cette connaissance plus humaine, nous devons traverser une période durant laquelle le danger sera omniprésent. Et on est en plein dedans.

Il y en a eu, des périodes de l'histoire comme celle-ci, justement. La période de Gutenberg, ç'a été ça, la Renaissance. Les grandes découvertes, la révolution de mai 68, la guerre du Vietnam, la guerre froide, etc., ç'a été un peu ça aussi.

C'est toujours une question d'idéologie. C'est plus qu'une mécanique à mettre en place, c'est la mentalité qui doit changer. Mais la mentalité dominante à travers l'histoire, c'était toujours celle des puissants qui établissaient une certaine structure économique afin de prendre ou de garder le pouvoir. Les Romains l'ont fait, les Grecs l'ont fait, les Macédoniens l'ont fait, Gengis Khān l'a fait…

Évolution de l'armement : l'âge du *joystick*

Les premiers hommes à avoir utilisé l'argile pour fabriquer des objets, des récipients, des briques, etc., se sont probablement sentis comme les maîtres du monde. Puis, d'autres hommes ont commencé à travailler le cuivre et en sont venus à découvrir qu'une fois chauffé, il devenait possible de le mouler pour en faire des objets de toutes sortes. Près de 2 000 ans plus tard, en alliant le cuivre et l'étain, on a donné naissance au bronze… Un millénaire et demi après, l'âge du fer commençait.

L'histoire de la métallurgie, c'est aussi l'histoire de l'armement. Parce que des métaux de plus en plus solides sont graduellement apparus. Et ça, ça signifiait des armes de plus en plus puissantes. Et on ne parle pas que du métal : la technologie de l'armement a évolué par elle-même. Quelqu'un connaît la date à laquelle on est passés du coup de poing au coup de bâton ? Du coup de bâton au projectile ? Ce seraient pourtant des dates importantes à souligner. C'est à compter de ces dates que s'est enclenchée la réflexion historique qui a permis à l'homme de concevoir d'abord l'arc et la flèche, ensuite le pistolet et le canon, et, ultimement, les bombes. De tuer quelqu'un à distance, en somme.

On en est où, aujourd'hui? On en est aux avions drones. On ne met plus personne dans les avions. Le pilote demeure au sol et, assis devant un moniteur, les yeux rivés sur les images d'une ville virtuelle, il dirige son avion virtuel, comme dans un jeu vidéo. Mais l'avion est bien réel. On pourrait montrer au pilote la vraie image, celle vue de la cabine de pilotage de son avion téléguidé, mais on évite de le faire, ça humaniserait l'expérience. Les êtres humains qu'il voit lui sont présentés comme des personnages de jeux vidéo. En plaçant devant lui une image virtuelle, numérique, on s'assure que le pilote pourra tirer à son aise, et on élimine le risque que surgissent des émotions ou que survienne un problème de conscience.

Il y a là un détachement qui est très confortable. Le soldat se trouve quelque part au Pentagone, *joystick* en main, mais c'est un vrai avion avec de vraies bombes qu'il contrôle. Et ce sont de vrais humains qu'il tue. C'est ainsi que l'armée américaine peut entrer en guerre avec l'Iraq, lancer des missiles Patriot, qui sont des drones, et tuer 200 000 civils, des enfants et des femmes non armés, et dire ensuite à la population : « Ce sont des bombes chirurgicales, ne vous en faites pas! Elles entrent dans les maisons et ne tuent que les méchants! »

Dans l'histoire, oui, il y a eu le fer, l'acier, il y a eu tous ces changements cruciaux qui ont fait avancer la technologie, qui ont modifié le cours des choses. Mais à certains endroits, à certaines périodes, certains humains se sont retrouvés entourés d'une technologie hautement avancée et ont quand même choisi d'aller vers la paix, plutôt que d'employer exclusivement cette technologie au développement de l'armement. Je demeure convaincu qu'il y a quand même de l'espoir à ce niveau. Il s'agit de s'inspirer des bons moments de l'histoire.

Suivre la piste des avancées technologiques… pour éviter le pire

Les références historiques concernant l'incendie de la bibliothèque d'Alexandrie divergent. On ne sait pas si la destruction de la bibliothèque remonte à la guerre entre César et Pompée, 50 ans avant Jésus-Christ, ou encore à la conquête arabe, au VIIe siècle de notre ère… Quoi qu'il en soit, ce sont 5 000 ans d'histoire, de documents, de science qui ont été brûlés. Les peuples de cette ère sont passés à travers quoi, en 5 000 ans? Notre civilisation a 2 000 ans. La leur en avait 5 000. On a perdu tout ça. On a perdu quoi, en termes de rencontres, d'histoire, de passé, de technologie? Je ne sais pas si vous l'avez remarqué, mais nous, ça ne fait que 2 000 ans que nous sommes là, et notre technologie, plus elle avance, moins on la voit. Notre technologie, de plus en plus rapidement, se rapproche de l'invisible. De l'infiniment petit. Dans 5 000 ans, peut-être que l'illusion sera parfaite et qu'on ne la verra plus du tout.

Si on regarde les inventions d'il y a une cinquantaine d'années qui nous semblent banales aujourd'hui, et qu'on considère à quel point elles étaient novatrices à cette époque, imaginons seulement le chemin qu'il nous reste à parcourir à partir des inventions d'aujourd'hui…

Dans les années 1950, un neurophysiologiste espagnol, qui s'appelait José Delgado, a fait un test avec des taureaux. Grâce à des expériences sur le fonctionnement de leur cerveau, il a réussi à identifier les neurones qu'il fallait stimuler pour contrôler le galop, la marche du taureau, l'arrêt de la marche, la direction qu'il prend, son agressivité, etc. Ce professeur, une fois qu'il a identifié ces neurones, est allé brancher des électrodes à des endroits clés. Ainsi, en envoyant un courant électrique ou en en interrompant un autre, il a été capable d'établir un mécanisme qui agissait comme une télécommande sur le taureau. On parle des années 1950, là! Et en 1954, le professeur Delgado a fait un test magnifique: il s'est rendu dans une arène avec un taureau sauvage et il l'a téléguidé. Il faisait démarrer le taureau, le faisait foncer sur lui et, quand il arrivait devant lui, il l'arrêtait. Delgado a empêché la charge de taureaux dans cette arène par simple activation des électrodes, à distance.

Ça, c'était dans les années 1950. Et maintenant? On est rendus où? Et ce n'est pas une histoire qu'on lira dans des magazines de science-fiction!

Évidemment, ce n'est pas toujours facile d'aller chercher de l'information concernant les avancées technologiques, de se tenir au fait du progrès. Surtout quand c'est l'armée qui fait des recherches. Bien souvent, les gens qui y travaillent n'ont pas le droit de parler publiquement de leurs découvertes.

Mais si on revient à ce dont on parlait au début de ce chapitre, la nanotechnologie, il n'est pas si compliqué d'extrapoler. La nanotechnologie, on l'utilise pour fabriquer un téléphone. C'est du domaine commercial, ce produit sera vendu et permettra à l'entreprise d'engranger des profits. Mais cette même technologie, si on extrapole, pouvez-vous vous imaginer tout ce qu'il est possible de faire avec ça ? On peut extrapoler longtemps...

Imaginez. Je viens de parler d'un taureau téléguidé. Mais grâce à la nanotechnologie, on peut prendre le contrôle du cerveau d'une mouche. Et qu'est-ce qu'on en fera ? Pour des scientifiques qui travaillent avec l'atome, avec l'infiniment petit, la mouche n'est pas si petite en comparaison. Admettons que je sois chercheur. J'entre dans le cerveau d'une mouche, beaucoup moins complexe que celui d'un taureau, que celui d'un humain. Je constate que les neurones sont placés de telle manière, j'identifie ce que contrôle chacun : les ailes, à droite, à gauche, les yeux... Je n'ai plus qu'à placer mes électrodes dessus, et je contrôle la mouche.

Le danger, c'est qu'aujourd'hui, je suis aussi capable de placer un « nanomicrophone » sur ma mouche, qui constituera alors l'espion parfait. Ce que la cible de ma surveillance verra passer dans sa maison, ce n'est qu'une mouche... qui, en réalité, porte un micro. Je peux aussi tuer quelqu'un grâce à ma mouche téléguidée, si je veux. Il ne faut pas grand-chose pour tuer un humain, une petite bactérie suffit. Ce n'est pas gros, une bactérie. Je la place sur la patte de ma mouche, et je dirige celle-ci pour qu'elle atterrisse dans l'assiette de ma cible et y frotte ses pattes. Le micro-organisme vient d'être déposé à l'endroit stratégique : je le vois avec les yeux de ma mouche. Je viens de tuer un indésirable !

On peut aller loin comme ça. C'est terrifiant quand on y pense. Et ça existe déjà.

Vous me direz que toute technologie présente un certain danger si elle est placée en de mauvaises mains. Je vous répondrai qu'on n'a même pas besoin de se poser la question à savoir entre quelles mains elle se trouve. Si cette technologie existe, avec tous les dangers qu'elle comporte, c'est qu'elle ne se trouve pas en de bonnes mains. Si quelqu'un a pensé à la créer, c'est qu'il n'a pas de bonnes intentions. Pourquoi créer une bombe atomique si ce n'est pour faire sauter des villes ?! Une bombe n'a aucune autre utilité que de détruire. Nécessairement, les intentions de son créateur sont mauvaises.

Nous traversons une période de grand danger. Il va falloir qu'on passe cette période-là. Et ce qu'il va falloir changer, c'est notre mentalité. La mentalité n'est pas de l'ordre de la matière. On n'a pas encore réussi à y toucher. La nanotechnologie ne se développera jamais assez pour toucher ce qui est plus petit que la matière. Ce qui est plus petit que la matière, c'est la conscience. Et c'est là qu'est le vrai pouvoir, la vraie valeur, dans ce qu'on ne peut ni quantifier ni mesurer.

Et pour moi, c'est là qu'on est. Mais quand j'aborde ces sujets avec des gens, la plupart d'entre eux me disent : « Tu exagères, tu vas bien trop loin ! Tu imagines des scénarios catastrophes ! » C'est faux. Quiconque a la moindre instruction peut extrapoler très facilement, réaliser qu'il ne s'agit plus d'hypothèses, mais d'éventualités qui sont bien réelles, et comprendre que nous nous trouvons devant un choix fondamental. Et c'est notre responsabilité à tous de faire ce choix, consciemment, pour le bien commun.

COMBIEN DE TEMPS ?

Détruire une planète en deux millénaires
N'est pas chose simple, il faut avoir du nerf
Faut réfléchir, être visionnaire
Être minutieux, sanguinaire

Il faut tuer, c'est élémentaire
Commencer par les prolétaires
Et leurs enfants, premier critère
Fondamental, il n'y a pas de mystère

Combien de temps ?
Combien de temps ?
Combien de temps pour détruire la Terre ?

Tout doit partir et j'énumère
Le ciel, la mer, le cœur des mères
C'est clair, tout ça n'est que chimère
Tout ce qui vit est éphémère

L'éternité est à chier, trop linéaire
Solution, thermonucléaire
C'est fini, sortez du R.E.R.
La vie n'est pas une station balnéaire

Combien de temps ?
Combien de temps ?
Combien de temps pour détruire la Terre ?

Au royaume de la mort, il faudra tout refaire
Il fera beau, il fera chaud et nous battrons le fer
Faudra encore s'acharner à tout défaire
Avoir des mains d'acier dans des gants de fer

Et s'Il ne nous laisse pas faire?
S'Il ne nous laisse pas faire?

Nous crucifierons Lucifer
Et…

Combien de temps?
Combien de temps?
Combien de temps pour détruire l'enfer?

Luck Mervil

Chapitre 3

L'OPULENCE DES PAUVRES ET LA MISÈRE DES RICHES

Malgré l'avancement de la connaissance et les progrès de la technologie, le racisme, considéré par plusieurs comme une forme de jugement fort primitive, est encore bien présent aujourd'hui même si, comme tout le reste, il commence à changer. Aujourd'hui, ce que l'on voit émerger, c'est un racisme économique qui pourrait bien se répandre encore davantage que le racisme de couleur.

En plusieurs endroits du monde, quiconque se présente bien habillé, propre, en bonne santé n'a pas de nationalité. Il n'est pas Noir, il est riche. Ce n'est pas un Asiatique, ce n'est qu'un riche. Et le riche dont je parle déteste le pauvre autant que le Blanc a pu détester le Noir et vice-versa. Détester la pauvreté et ses causes au lieu du pauvre serait envisageable si ce riche ne savait viscéralement qu'il fait partie du problème plutôt que de la solution. Je me suis souvent trouvé assis à la table de gens riches issus de plusieurs communautés différentes. Certains de ces gens, pour illustrer leur point de vue, me disaient ouvertement : « Admettons que tu te présentes à ma porte pour me dire que tu veux épouser ma fille. Tu es Noir ? Pas de problème : tu es éduqué, travaillant, tu peux subvenir à ses besoins, prendre soin d'elle. Vous aurez de beaux enfants qui seront instruits et en bonne santé. Tu es pauvre ? N'imagine même pas que tu puisses te tenir devant moi et me faire une telle demande. Je me fous de ta couleur. C'est là une question de principe, je veux ce qu'il y a de mieux pour ma famille et si vous n'êtes pas ça, *hasta luego !* » Le riche versus le pauvre. Le racisme de la couleur, c'est la peur de l'autre, la peur de la différence, de l'inconnu. Le racisme économique, c'est exactement la même chose, si l'on exclut la couleur de la peau.

Aux États-Unis, par exemple, on voit de plus en plus apparaître ce qu'on appelle des quartiers cloisonnés, ce qu'ils appellent en anglais *gated communities*. On estime qu'il y aurait autour de 20 000 de ces quartiers protégés aux États-Unis. Au Canada, il y en aurait déjà 300. Le Groupe Dufour, constructeur et gestionnaire hôtelier de renom, projetait en 2003 de construire le premier quartier cloisonné du Québec à Sainte-Julie, sur la Rive-Sud de Montréal, une région pourtant réputée comme étant assez sécuritaire. Le projet, qui a créé une grande controverse, n'a pas abouti. Mais il a tout de même été envisagé...

Il s'agit littéralement de quartiers murés. Pour y entrer, il faut avoir une carte. À l'entrée, devant la grille, se tient un gardien de sécurité qui vérifiera l'identité de chacun des visiteurs; des gardes, des chiens patrouillent aux alentours du secteur. À l'intérieur, on ne retrouve que des maisons luxueuses. La populaire série télévisée *Desperate Housewives* se déroule dans un de ces quartiers. Pourtant, on n'en fait pas tout un plat, personne n'en parle – ce fait n'est pas même mentionné dans les dialogues de la série. Il s'agit du décor dans lequel évoluent ces personnages, et ça leur semble tout à fait naturel.

Mais la réalité, c'est qu'il y a un mur autour du quartier. Toutes les maisons qui se trouvent à l'intérieur valent entre 600 000 et 3 000 000 de dollars. Quiconque n'est pas riche ne peut pas vivre là. Si vous voulez habiter là, en admettant évidemment que vous ayez les moyens d'acheter une de ces maisons, un comité va vous accueillir, vous recevoir pour un entretien, puis décider si votre candidature est acceptée ou non.

Et des quartiers comme celui-là, il en existe à différentes échelles. Certains renferment des maisons de 200 000 à 300 000 dollars, d'autres, des maisons de 300 000 à 600 000 dollars... C'est un jeu de Monopoly grandeur nature.

Quand on érige un mur autour de chez soi, c'est qu'on a peur de quelque chose. C'est comme dire: «Je suis riche, toi, tu es pauvre, et je ne veux pas que tu entres chez nous. Je ne veux pas que tu rôdes autour de ma maison. Je ne veux pas être confronté au danger que, selon moi, tu représentes.»

C'est une politique de la peur qui règne aux États-Unis, et ça s'internationalise.

Un petit exemple en passant. En 2004, un incendie criminel a complètement détruit un édifice en construction dans le quartier Ville-Émard de Montréal. Cet édifice appartenait au regroupement des Auberges du Cœur et devait abriter des logements sociaux destinés à des jeunes dans le besoin, des jeunes de la rue, bref des pauvres. Ceux-là mêmes dont personne ne veut dans sa cour…

Même si les sociétés cloisonnées ne sont pas encore très répandues au Québec, certains secteurs, sans qu'ils fassent la promotion de cet état de choses, sont tout de même déjà réservés aux riches. On n'a qu'à regarder Westmount, Outremont… Des territoires zonés « riches » ! De plus en plus de quartiers deviennent des quartiers de « riches ». Le Plateau-Mont-Royal, par exemple. Il y a un quart de siècle, le Plateau, c'était comme Saint-Henri. Aujourd'hui, sur le Plateau, on trouve des maisons qui valent plus de 1 million de dollars. Ç'a bien changé…

La volonté du peuple pauvre

Mon premier voyage au Brésil s'est déroulé dans le cadre du Forum social mondial à Porto Alegre, en 2005. Je m'y suis rendu avec le Centre d'étude et de coopération internationale (CECI). Je devais participer à un spectacle, assister à des conférences et aussi en donner. Le président Lula était présent… Le monde entier était présent. Le monde entier du tiers-monde. C'était l'objectif de ce rassemblement.

La ville de Porto Alegre est un exemple pour le monde. Ses gens ont su se prendre en main et dire : « Voilà les changements que nous voulons opérer dans notre société à nous. » C'est un lieu où des gens qui n'appartenaient à aucun ministère, à aucun organisme gouvernemental, ont exprimé la volonté de décider par eux-mêmes de ce qu'ils feraient des fonds qui leur étaient alloués, d'établir un comité local qui déciderait de ce qui serait fait avec cet argent-là. « Qu'est-ce qu'on va faire au niveau de la sécurité ? se sont-ils demandé. Et au niveau de l'éducation ? de la propreté ? du commerce ? Nous vivons ici ; c'est notre ville, à nous. C'est nous qui allons prendre les décisions. » Et c'est ce qu'ils ont fait. Ç'a changé de façon draconienne leur niveau de vie. Porto Alegre est une des villes du Brésil où il fait bon vivre. Quand on arrive là-bas, vraiment, on sent la différence. Il y a une tranquillité, un calme, on sent que les gens sont éduqués, que la propreté de leur ville est une de leurs priorités, etc.

Cependant, quand le mot se passe, quand les gens de par le monde entendent parler du niveau de vie enviable dont jouissent les habitants de Porto Alegre, ils se mettent à y émigrer en masse, tout d'un coup. Des gens qui, dans leur village, ont accès à la nourriture, à un toit et à des soins de base, vont le quitter parce qu'ils ont vu, à la télé ou dans les journaux, qu'ils pouvaient vivre autrement dans les grandes villes. Ils partent donc à la recherche de ce que nous appelons le luxe, parce que, grâce à la mondialisation des connaissances, ils considèrent de plus en plus que le confort dit « de base » n'est plus suffisant. Et le niveau de vie, peu importe la ville, est directement lié à la densité de la population.

À maintes reprises, au fil de ces pages, j'évoquerai le Brésil parce que, selon moi, à divers niveaux, le Brésil constitue un exemple à suivre. Je semblerai peut-être vous dépeindre le Brésil comme un éden, mais détrompez-vous. Bien souvent, quand on parle du Brésil, les gens pensent à la pauvreté, à la violence. Je ne dis pas qu'il n'y en a pas, au contraire. Il y en a, évidemment. Il y a même de la grande violence. La vie n'est pas rose dans les bidonvilles qu'on appelle *favelas*. La drogue est omniprésente dans les grandes villes brésiliennes. Au niveau social, les différences sont tangibles là-bas, comme dans toutes les grandes villes. Connaissez-vous une agglomération de plus de 6 millions d'habitants où il n'y a pas de problème ? Ça n'existe pas. On parle de villes immenses ; ces villes sont des pays à elles seules. São Paulo (11 millions d'habitants) et Rio de Janeiro (6 millions d'habitants), deux villes situées à deux heures de distance l'une de l'autre, représentent l'équivalent de près de la moitié du Canada, en termes de population. La densité de ces deux villes est d'environ 6 000 habitants par kilomètre carré de territoire, alors qu'au Canada, on retrouve en moyenne… 3,29 habitants par kilomètre carré ! S'il n'y a pas de violence dans ces grands centres, où y en aura-t-il ? !

Je ne pense pas que l'être humain soit fait pour vivre dans une telle promiscuité. Alors, oui, il y a de la violence là-bas, il y a de la drogue, il règne une hiérarchisation économique systématisée. C'est omniprésent là-bas. Mais en même temps, on sent chez ces gens une réelle volonté d'améliorer leur sort. C'est toujours comme ça. C'est fou ! Les endroits où l'on sent le plus cette volonté de réussite, ce sont les endroits où les gens sont les plus pauvres. Les endroits où l'on perçoit le plus de richesse culturelle, ce sont les endroits dans lesquels vivre est une épreuve de chaque instant, non les endroits riches. L'instinct de survie, l'instinct maternel, le désir de procréation sont puissants chez l'humain comme partout ailleurs dans la nature.

Pourquoi le taux de suicide, par exemple, est-il plus élevé dans les pays riches et industrialisés ? C'est bizarre ! Si tout va si bien, pourquoi s'enlever la vie ? La Suède, la Finlande et la France présentent actuellement le plus haut taux de suicide en Europe occidentale. Selon un rapport publié en 2002 par l'Organisation mondiale de la Santé, le nombre de décès par suicide en 2001 était plus élevé que le total combiné des décès par homicide (500 000) et ceux consécutifs à des faits de guerre (230 000). Ce ne sont pas tous les pays qui fournissent des données concernant le suicide, mais il n'y a qu'à faire une recherche rapide sur Internet pour constater que les taux de suicide les plus élevés sont observés en Europe orientale, et les plus faibles, en Amérique latine, dans les pays musulmans et dans quelques pays asiatiques (malheureusement, l'Afrique ne fournit pratiquement pas de données concernant le phéno-mène, mais j'ose avancer que ces dernières auraient sans doute appuyé mon propos…)

Ainsi, dans les pays où c'est le plus difficile, le taux de suicide est quasi nul. Que recherche donc l'humain ? Qu'est-ce qui le pousse vers ça ?

C'est comme si le taux de suicide était un indicateur du niveau de réussite économique d'un pays. Ici, ça marche bien, et les gens se suicident. Aussi bizarre que cela puisse paraître, au Canada, d'un point de vue monétaire, tout va bien, la valeur de notre dollar augmente, notre pouvoir d'achat est plus grand. En contrepartie, il y a plus d'enfants que jamais qui ne mangent pas avant d'aller à l'école, la classe ouvrière est de plus en plus pauvre, la disparité sociale est de plus en plus grande aussi. Plus notre pays s'enrichit, plus la majorité a de la difficulté. Il faut que les gens réalisent qu'il y a quelque chose qui cloche :

ce n'est pas le pays qui s'enrichit. Ça, ce sont des chiffres. Le chiffre augmente, oui, alors on l'associe à l'ensemble du pays. Dans les faits, ce sont certaines compagnies et certaines personnes qui jouissent des retombées de ces chiffres-là... Le PIB du pays a peut-être énormément augmenté, il n'indique en rien le revenu moyen de ses habitants.

Cet argent profite à une minorité. Il n'est pas distribué, ni partagé, ni équilibré. Et ça aussi, c'est un autre danger. On a l'illusion d'être plus riches, mais ce n'est pas vrai. La majorité est encore plus pauvre. Et, parallèlement, depuis que la majorité s'appauvrit, il y a moins de suicides. Le taux de suicide a baissé au Québec. Chez les jeunes, entre autres. C'est donc inversement proportionnel. À la limite, là où ça arrive, il faut se poser des questions. Comment ça se fait? Que se passe-t-il? Pourquoi? Quel est le mécanisme? Si on en découvrait le fonctionnement, peut-être qu'on pourrait régler le problème. Mais il faut d'abord trouver sur quel bouton appuyer. Notre avenir en dépend peut-être, qui sait?

La « survie garantie » qui enlève du sens à la vie

J'ai l'impression que l'être humain a besoin d'une raison d'être pour demeurer en vie. C'est dur de trouver une raison d'être, aujourd'hui, quand on vit dans un pays où tout est à notre disposition. On n'a pas besoin de chasser pour se nourrir, de trouver une source pour se désaltérer, de construire un abri pour se protéger des intempéries. Aucun danger réel ne menace notre vie quand on marche dans la rue. On regarde par la fenêtre de notre maison chaude en hiver et fraîche en été, et il y a des autoroutes, d'autres maisons, des voitures... À l'intérieur, il y a un ordinateur, une télévision, un mélangeur automatique, un four à micro-ondes, un climatiseur.

Et parmi toutes les bébelles qui meublent notre environnement, on ne sait même plus qui a fait quoi. À notre époque, les gadgets qui sont là pour nous faciliter la vie sont légion, et rarement nous posons-nous la question à savoir qui les a créés. Par extension, on n'a pas l'impression de pouvoir créer quelque chose et d'en tirer une quelconque reconnaissance.

Prenons le BlackBerry, par exemple. On attribue sa paternité au président et cofondateur de la compagnie Research in

Motion (RIM). Cet homme s'appelle Mike Lazaridis. C'est un Grec né en Turquie qui vit aujourd'hui au Canada. Vous le saviez ? Non ? Ce type pourrait marcher au milieu d'une foule dans un lieu public, personne ne le reconnaîtrait. Alors, même quelqu'un qui est capable de créer un truc sophistiqué comme le BlackBerry n'en tire pas de reconnaissance.

On n'a pas de contraintes non plus. De contraintes de survie, j'entends. La nature évolue à cause des contraintes. Plantez une carotte dans 10 centimètres de terre : si la carotte doit mesurer 15 centimètres, vous vous retrouverez avec un légume en forme d'équerre, parce qu'il aura continué sa croissance, malgré l'obstacle que représente le fond du pot de terre.

De tout temps, c'est grâce aux contraintes que l'être humain a évolué. Imaginons par exemple qu'on se retrouve coincé entre un lion et un mur. Alors, on se dit : « Qu'est-ce que je fais avec ce mur-là ? Comment je fais pour passer ? Il y a un lion de ce côté-ci, je dois me rendre de l'autre côté. Cherchons des solutions. Je ne peux rien faire tout seul. Si on se mettait à plusieurs ? Ah ! Créons les flèches, parce qu'un lion, c'est dangereux, c'est gros, c'est plus fort que nous. Quand ça croque, ça ne lâche pas. Alors, il faut le tuer, mais de loin. Ou encore, il faut y aller en groupe. Il faut échafauder un plan. Il faudra peut-être sacrifier un des membres du groupe pour que les autres survivent. Lequel on sacrifie ? Le faible, le malade. »

Éventuellement, le groupe s'organise, chacun y prend sa place, et celui qu'on voulait sacrifier, le malade, le faible, malgré son incapacité physique, met sur le tapis les solutions les plus ingénieuses. Les autres se disent alors : « C'est vrai qu'il est malade, mais il est pas mal plus brillant que nous autres. C'est lui qui trouve les solutions ! Le fait qu'il soit malade ne signifie pas qu'il soit inutile… OK, nous devons réfléchir différemment. On ne peut pas donner le malade en pâture au lion, puisque le malade a élaboré lui-même le plan que l'on doit mettre à exécution. On fait un trou, on place des pics au fond, on attire le lion en faisant du bruit, il tombe dans le trou, s'empale sur les pics et meurt. On bouffe du lion. Brillant. Finalement, notre malade, on va le garder vivant. »

Quelles sont les contraintes que j'ai à surmonter, moi ? Mes buts ? Me dépasser ? On va dire que je me prends pour un autre. Faire de l'introspection ? On dira que je suis un illuminé. Gueuler tout haut ce que d'autres pensent tout bas ? On dira que je fais du prêchi-prêcha, que c'est du radotage moralisateur.

Peut-être qu'un être humain se suicide quand son instinct de survie n'est vraiment pas sollicité. Nous vivons, en Occident, dans une société de « risque zéro ». Pourtant, le simple fait de naître constitue un risque en soi. Éliminer tout risque, tout danger, toute menace, équivaut à tuer l'humain, qui vient au monde avec un besoin fondamental de tendre vers quelque chose, vers la préservation de sa propre vie, au sens biologique du terme. Dans nos sociétés-cocons, il est facile d'observer notre réaction au « risque zéro » : les sports extrêmes, la drogue, etc., et, ultimement, le suicide. Dans les pays du tiers-monde, le but de chacun est de survivre chaque jour. Le mal de vivre, qui est un luxe occidental, n'existe pas dans une société de survie. Combien de suicides de prisonniers ont eu lieu dans les camps de concentration durant la Seconde Guerre mondiale ? Il y en a sûrement eu, mais pas assez pour que cela retienne l'attention. Les documentaires sur le sujet ne sont pas légion. Cependant, ces gens savaient qu'ils allaient mourir et, pourtant, ils ne se suicidaient pas. En ce sens, notre instinct de survie nous rapproche des animaux, de notre nature profonde.

On ne *deale* plus avec rien. Quand on ne *deale* plus avec rien, comment pouvons-nous nous sentir utiles ? On demande à nos jeunes d'apprendre les mathématiques, l'histoire, et ce qu'ils se demandent, c'est : « Pourquoi il faut que j'apprenne ça ? Qu'est-ce que ça va changer ? Est-ce que je vais vraiment pouvoir faire une différence dans ce monde ? »

« À quoi ça sert ? »

« D'où est-ce que je viens ? », « Qu'est-ce que je fais ici ? », « Pourquoi je suis ici ? » : ce sont des questions qu'on s'est toujours posées. On sait un peu d'où on vient, on sait un peu où on est, mais peu importe où on va, est-ce qu'on veut vraiment y aller ?

Ce qu'on dit aux gens maintenant, c'est que, dans l'avenir, on n'aura plus d'eau potable. On va avoir des problèmes avec la nature. Des inondations vont survenir, et de plus en plus de tempêtes. Des maladies qui avaient disparu vont réapparaître. On leur promet la famine, la guerre, la révolte… On sait ce que ça donne, la guerre. Est-ce qu'on a envie d'aller dans cette direction ?

Comment j'arrive à gérer ça dans ma tête ? Est-ce qu'on m'a donné les outils nécessaires pour le faire ? Ce sont des questions philosophiques difficiles à aborder, pour tout le monde. Ainsi, en plus d'avoir l'impression qu'on ne sert à rien, nous sommes sous-stimulés au niveau philosophique. Aujourd'hui, nos philosophes, ce sont des stars à cinq sous, des *popstars* jetables, et non pas des gens qui nous forceraient à penser. Qui ne diraient pas forcément : « Nous avons raison », mais plutôt : « Voici les questions que je me pose. Qu'est-ce que tu en penses ? Toi, c'est quoi ton idée là-dessus ? Est-ce qu'on peut aller plus loin, élaborer, essayer de comprendre ? » S'asseoir, discuter, écouter, proposer des choses. Juste ça, au lieu d'aller se geler la tête devant la télé et devant Internet, de faire des *raves*, de prendre des pilules, de se soûler, de se défoncer. Pourquoi on se lâche dans tout ça ? Pour s'évader. S'évader de quoi ? De toutes ces questions-là. On ne veut pas se les poser, et on ne veut pas tenter d'y répondre.

Les gens ne sont pas plus idiots qu'avant. C'est juste qu'à un moment donné, c'est trop. À un moment donné, les gens deviennent complètement écœurés, et ils réalisent qu'ils n'ont pas vraiment de pouvoir. Ils sentent qu'ils ne seront pas écoutés, et qu'ils ne peuvent rien changer. Et si quelqu'un se mettait vraiment à dire quelque chose, et si des gens se mettaient vraiment à l'écouter, on ferait tout pour le bloquer, pour lui fermer la trappe, pour l'enfermer, même. On dirait qu'il est fou, qu'il est malade, que c'est un alarmiste, un prophète de malheur. On se fait taxer de toutes sortes de choses quand on se met à gueuler et à parler. Quand Fayard a publié en 2002 un livre qui s'intitulait *Les Nouveaux Maîtres du monde*[1], les premières réactions publiques ont été de traiter son auteur d'alarmiste et de fou, et d'affirmer que les chiffres sur lesquels il appuyait son propos, c'était de la foutaise, et que ses projections étaient complètement erronées. Cet auteur était Jean Ziegler, rapporteur spécial pour le droit à l'alimentation des populations, pour le Conseil des droits de l'homme de l'ONU…

---

1. Jean Ziegler (actuellement membre du comité consultatif du Conseil des droits de l'homme des Nations Unies), *Les Nouveaux Maîtres du monde*, Paris, Éditions Fayard, 2002.

Ainsi, les pauvres se démènent et se débattent. Ils ne se demandent pas pourquoi il leur faut survivre chaque jour. Ils ne se demandent pas à quoi ça sert. Ce qu'ils savent, c'est que d'autres, ailleurs, vivent différemment, vivent mieux. Ce qui motive les habitants des pays pauvres, entre autres, c'est qu'ailleurs, il y a mieux, et que ce mieux, ils y ont droit tout autant que les autres. Et ils travailleront avec acharnement tant et aussi longtemps qu'ils croiront pouvoir améliorer leur sort.

Tandis que nous, emmitouflés en janvier et désaltérés en juillet, bien nourris, bien vêtus, sans un souci pour notre survie, nous nous demandons à quoi peut bien servir notre futile petite existence, sans pourtant être capables, semble-t-il, d'agir pour changer les choses…

JE LES VOIS

Oui, je les vois partout dans le cœur des quartiers
Ils vivent entre les rêves
Ils errent dans le désert du Soudan de l'oubli
De l'Adam avant l'Ève

C'est comme s'ils manquaient d'air, ils vivent sans respirer
Même leur coeur serre les lèvres
Pour ne pas dire le jour ce qu'ils soupirent la nuit
Leur bonheur fait la grève

Je les vois sans le sou, sous le corps des banlieues
Pleurer pour qu'elles allègent
Les paupières de tous ceux qui ne voient pas le prix
D'une vie qui s'abrège

Sans avoir commencé à voir là dans vos yeux
L'avènement de la sève
Qui sillonne les visages quand le corps se replie
Pour que l'âme s'élève

LUCK MERVIL

Chapitre 4

ABRÉGÉ DE MÉTISSAGE :
LA LEÇON BRÉSILIENNE

De tout ce que j'ai vu à travers mes voyages, une chose, autre que le changement de mentalité, m'apparaît comme étant la solution à plusieurs des problèmes évoqués dans ce livre. Le métissage. En fait, si on lui donnait la signification qu'il mérite et si on l'appliquait réellement en tant que solution, le mot « métissage » remplacerait carrément le mot « mondialisation » et caractériserait dès lors tous ces changements dont notre monde a tant besoin. Dans un monde de métissage, les cultures se fondent les unes aux autres. On ne parlerait plus d'une culture qui disparaît au profit d'une autre. On ne parlerait plus, par exemple, d'oublier notre culture québécoise et de devenir des Américains. Il s'agirait plutôt de la culture québécoise – qui d'ailleurs est métissée à plusieurs égards – qui se fondrait à la culture européenne, américaine, asiatique, etc., pour donner naissance à une toute nouvelle culture : métissée.

Quand nous assisterons à ça, nous assisterons à un vrai changement, à une métamorphose, à une avancée réelle dans la bonne direction. Nous vivrons aussi quelque chose qui fait partie des phénomènes naturels. La nature est un amalgame. Le métissage, c'est l'évolution. C'est ça, la vraie révolution. La voie qui mènera à une conscientisation supérieure de notre condition humaine. C'est le cheminement infaillible vers une conscience éclairée par la lumière de la connaissance du subtil.

Et ça s'est fait depuis le début des temps ! Tout ce que nous sommes aujourd'hui a pris naissance à partir d'un organisme unicellulaire qui s'est dédoublé et dédoublé et encore dédoublé. Plusieurs organismes se sont alors formés et développés.

Éventuellement, celui-ci était différent de celui-là, ils se sont unis et, en s'unissant, ont conçu autre chose, et ainsi de suite. C'est ça, l'évolution.

Nous avons lutté beaucoup trop longtemps contre la nature des choses, contre notre nature. Normalement, tout cherche à s'améliorer, à aller de l'avant. Chez les animaux qui vivent en meute ou en bande, il n'est pas rare que l'on chasse, que l'on abandonne, ou même que l'on tue les plus faibles et les malades qui ralentissent la cadence du clan. Si les gestes posés sont si radicaux, c'est justement pour le bien commun, pour rendre l'espèce plus forte, mieux adaptée à son environnement. Jamais les gestes posés ne vont à l'encontre de ce principe. C'est une question de survie. Nous sommes les seuls dans la nature à détruire en toute connaissance de cause – délibérément – l'équilibre fragile de l'environnement dans lequel nous évoluons. Jamais un organisme unicellulaire, une plante, un animal ou une bactérie ne créerait une religion qui clamerait sa pureté et l'empêcherait de se mélanger. Bien sûr, c'est totalement absurde et irréaliste. Mais nous, nous le faisons sans cesse. C'est tout aussi absurde. Vous êtes assis dans la nacelle d'une montgolfière, la tête dans les nuages et vous décidez d'y mettre le feu… Super, non ?

Si, effectivement, notre conscience et notre intelligence nous séparent de l'état soi-disant primitif des plantes et des animaux, alors je pense que soit notre conscience nous joue des tours, soit nous lui jouons des tours. Quand on élimine des forêts nécessaires à notre survie, quand on va au nom de l'économie multiplier par cinq la production des sables bitumineux de l'Ouest canadien, qui est déjà la principale source d'augmentation des gaz à effet de serre au Canada, quand on teste nos médicaments sur les gens les plus pauvres et les plus démunis de la Terre dans le non-respect des conventions internationales, quand on cherche par des moyens détournés à cacher à la population la situation réelle des changements climatiques, etc., nous ralentissons considérablement notre évolution.

Et l'évolution, ça n'a rien à voir avec ce que nous avons fait de la mondialisation. La mondialisation, telle que nous la vivons, est une agression envers la planète, envers ses richesses, envers ses habitants. Comme on le disait au premier chapitre, c'est un peu comme un cancer. Ça s'étend sur le territoire comme un parasite. Même quand il n'y a plus de ressources, on continue à gruger. Et quand il n'y aura plus rien, eh bien, nous, les humains, on mourra, tant pis. On va se dévorer entre nous, et ça va finir là.

J'imagine une mère et son fils d'une autre planète, dans un vaisseau spatial qui passerait dans notre système solaire dans 500 ans : « Maman, c'est quoi toutes ces pierres entre Mars et Vénus ? » « Ce sont les restes d'une planète qui s'appelait la Terre. » « Wow ! Qu'est-ce qui lui est arrivé ? » « On ne sait pas trop, mais, apparemment, ils avaient une super économie avant l'explosion. »

Ma race à moi est la meilleure. Le métissage, c'est tout autre chose. Se métisser, c'est s'unir pour devenir encore plus forts. Et l'objectif ultime, selon moi, serait d'en arriver à ce que s'incarne un être qui posséderait tous les attributs de tous les êtres, qu'il s'agisse de forces ou de faiblesses, parce que même les défauts, au fil de l'adaptation, deviendraient des atouts. Je pense que c'est plutôt vers ça qu'on s'en va. L'histoire de l'humanité, l'histoire de la nature, ç'a toujours été ça, à divers égards. Tous les êtres vivants en viennent à se mélanger entre eux, et ces mélanges, généralement, apportent un certain équilibre et permettent aux organismes de s'améliorer, de se perfectionner. Et c'est sans compter que nous, humains, nous avons la conscience en plus !

Le *patchwork* brésilien

Les effets du métissage m'ont réellement frappé lors de mon premier voyage au Brésil. C'était en janvier 2005, dans le cadre du Forum social mondial qui se tenait à Porto Alegre, dont j'ai parlé au chapitre précédent. Plutôt que de me contenter de donner mon spectacle et de rentrer chez moi, j'avais alors décidé de rester quelques semaines pour explorer un peu le pays. J'y suis retourné plusieurs fois depuis.

C'est au Brésil que je me trouvais à l'hiver 2008, quand j'ai commencé à écrire ce livre.

Le recensement de 1990 indiquait que la population brésilienne se composait de 40 % de Blancs, de 50 % de Métis, de 8 % de Noirs et de 2 % d'autres minorités (dont 0,1 % d'Amérindiens). Toutefois, la réalité est beaucoup plus complexe. Dans les faits, les Brésiliens distinguent plusieurs types de métis : le *caboclo* ou *mameluco* (métissage de Blanc et d'Indien), le *mulato* (métissage de Blanc et de Noir), le *cafuzo* (métissage d'Indien et de Noir). La plupart des Brésiliens sont de descendance portugaise ou africaine, ou les deux, mais plusieurs autres courants importants d'immigration ont contribué à constituer la population métissée du Brésil qu'on connaît aujourd'hui. On y trouve des communautés italiennes, libanaises, allemandes, hongroises, polonaises, russes, irlandaises, écossaises, hollandaises, japonaises, etc. Dans ce pays, des gens de toutes origines cohabitent ainsi depuis des dizaines d'années. Comment se déroule cette cohabitation ?

Admettons que j'arrive au Brésil en compagnie d'une Blanche, d'une Asiatique, d'un Africain vraiment noir foncé, d'une Allemande, et d'un Suédois aux yeux bleus et aux cheveux blond argent. Nous descendons de l'avion tous les six, et dès que nous posons le pied par terre, nous sommes tous, tout de suite, des Brésiliens. Instantanément. Si aucun de nous ne parle, pour tous les gens qui nous voient arriver, nous sommes des Brésiliens. Ils nous parleront spontanément en portugais. Au Brésil, que vous soyez Blanc, Noir, Jaune, vous êtes Brésilien. Dès qu'on met le pied sur le territoire, les gens nous souhaitent la bienvenue chez nous : « *Olá ! Casa bem-vinda !* » On se sent tout de suite interpellés par la culture, on se sent tout de suite perçus comme Brésiliens. Le regard qui est posé sur un nouvel arrivant, ce n'est pas le regard qui est posé sur un étranger. Au Brésil, tout le monde fait partie de *la gang*. C'est quand même extraordinaire ! Je ne connais aucun autre pays comme ça. Il y en a peut-être d'autres, je ne sais pas. Mais là-bas, c'est comme ça que ça se passe.

Ici, au Québec, certains, voyant un Noir à 10 mètres d'eux, vont se dire : « Tiens, un Africain. » Combien de fois entend-on, à la radio, à la télévision, des lecteurs de nouvelles indiquer, par exemple, que « trois jeunes d'origine arabe » sont recherchés par la police en rapport avec tel événement, que « deux Haïtiens » ont été vus sur la scène d'un crime ? Êtes-vous en train de me dire que ces deux Haïtiens ont pris un avion, sont venus commettre un méfait au Québec et sont tranquillement retournés dans leur pays ? ! Cette façon de faire, qui contribue à creuser un fossé bien inutile entre les Québécois, transmet et avive la perception totalement fausse selon laquelle quiconque ne descend pas directement de Jacques Cartier – et je ne parle pas du pont – ne serait pas tout à fait Québécois...

Au Brésil, il en est tout autrement. Au Brésil, à partir du moment où quelqu'un se trouve sur le territoire, cette personne est considérée comme un Brésilien. Les gens ne se posent même pas la question. Un Japonais descend de l'avion et vient s'installer au Brésil ? C'est un Brésilien. Les gens voient bien qu'il est d'origine japonaise, ils ne sont pas fous ! Mais ils le perçoivent néanmoins comme un Brésilien, tout comme il le fait lui-même. Personne ne s'attarde à son pays d'origine. C'est très puissant. Ça se voit dans sa démarche, dans sa façon de se mouvoir ; quand il parle, il n'a pas d'accent, il parle portugais comme un Brésilien.

Comment se fait-il qu'ils parviennent, eux, à créer cette homogénéité, et que nous, au Québec, nous n'y soyons pas encore arrivés ? Qu'est-ce qui fait ça ? Qu'est-ce qui fait qu'on a eu besoin de mettre sur pied cette commission sur les accommodements raisonnables, et qu'eux n'en ont même pas besoin ? Il n'y a même pas de politique d'immigration au Brésil !

Ce pays est peuplé par 200 millions d'habitants, me direz-vous. Mais les Américains sont 300 millions, eux, et la situation aux États-Unis est bien loin d'être semblable à celle du Brésil. On l'entend tout de suite dans la façon qu'ont les Américains de se désigner eux-mêmes : « *I'm an African American. I'm a Portorican. I'm a Latino American. I'm a Greek American. I'm an Italian American.* » On sent chez eux le désir de dire : « J'appartiens à telle nationalité. » J'en ai fait l'expérience : j'ai habité là-bas pendant quatre ans, à la fin de mon adolescence. Et c'est ce pays qu'on appelle le *melting-pot* ! Ce n'est pas ça du tout ! Un *melting-pot*, c'est le lieu d'un mélange dans lequel on met plein d'éléments différents. Ensuite, on brasse, et tous les ingrédients en viennent à former une seule chose, deviennent des composantes assimilées d'une même solution. Si on emploie cet exemple pour dépeindre les États-Unis, les « ingrédients de base » se seraient donc tous transformés en Américains... Ce n'est pas la réalité. Les immigrants, aux États-Unis, ne deviennent pas des Américains. Ils deviennent des *Latino Americans*, des *African Americans*. Où est donc la ressemblance entre un Portoricain, un Afro-Américain et... un Texan ?

Pour un Américain et pour la plupart des peuples de la terre, la couleur de la peau et l'origine ethnique sont encore beaucoup trop importantes. Dernièrement, un journaliste me questionnait à savoir si j'étais fier que Barack Obama, un Noir, puisse devenir président des États-Unis. Sincèrement, je me fous de sa couleur. Si je pouvais voter aux États-Unis, ce serait pour ses idées, sa politique et les valeurs qu'il défend. Pour l'instant, son charisme, sa verve et ses propos me touchent beaucoup plus que sa couleur. L'avenir et le temps ne se gêneront pas pour nous faire part de la réalité de l'humain qui vit dans le surhomme qu'en ont fait les médias et la culture populaire américaine.

Et c'est justement la culture qui fait que le mélange se fait si bien au Brésil. J'y reviendrai au sixième chapitre de ce livre.

Évidemment, il y a des distinctions entre un Pauliste (de São Paulo) et un Carioca (de Rio de Janeiro). Tout le monde n'est pas pareil à son voisin. Peu importe où on se trouve de par le monde, de toute façon, les habitants de deux villages situés à 20 kilomètres l'un de l'autre peuvent présenter des différences. Allez dans l'archipel des Îles-de-la-Madeleine, situé au cœur du golfe du Saint-Laurent, par exemple. On y compte un peu plus de 10 000 habitants. Ils sont d'origine acadienne à 85 %, et le reste de la population est d'origines québécoise, gaélique (écossaise, irlandaise) et anglaise. Sur une dizaine d'îles, grandes et petites, situées tout près les unes des autres, on trouve trois accents différents ! Mais tous les habitants sont quand même des Madelinots. Un gars sur sa petite île a beau être anglophone, il se considère comme un Madelinot. On pourrait presque dire qu'il s'agit d'un « micro-Brésil » isolé au Québec… Pourquoi le concept ne semble-t-il pas applicable à l'échelle de la province ?

Le métissage de la langue

Actuellement, il y a plus de Libanais au Brésil qu'au Liban. La population du Liban est estimée à près de 4 millions d'habitants, alors qu'au Brésil, les citoyens d'origine libanaise seraient plus de 6 millions. Les peuples de langue arabe, pour la plupart, sont très fiers de leur langue, et ils ont bien raison de l'être. Ils sont très fiers de leur histoire, de leur culture. Dans la ville de São Paulo, j'ai rencontré deux Libanais d'origine qui sont devenus pour moi des amis très proches. Deux super bons gars. Ces deux types ne parlent pas arabe. Ils sont de la deuxième génération d'immigrants, et bien qu'ils soient d'origine arabe, d'origine libanaise, ils se considèrent comme des Brésiliens, et ils ne voudraient pour rien au monde aller vivre au Liban! Ils adoreraient y aller pour découvrir le pays, visiter leur famille, mais ils sont Brésiliens. Ils ne parlent pas arabe, mais portugais. Les parents, semble-t-il, ne le leur ont pas appris à la maison non plus.

Pourquoi, au Québec, on n'arrive pas à imposer le français comme seule langue pour les Québécois de toutes origines ? Comment ça se fait ? Je ne dis pas aux gens d'oublier leur langue. Je ne dis pas qu'ils doivent renier leur culture. À la limite, je trouve que l'exemple de mes deux amis est un peu exagéré : ils n'apprennent même pas la langue de leur pays d'origine ! Mais si mes amis de São Paulo ne parlent pas arabe, ils vont dans des restaurants libanais, ils décorent leur maison avec des objets qui ressemblent à mes yeux à des œuvres d'art arabes, on sent que leur culture libanaise est quand même présente. C'est donc là qu'il y a eu un métissage, un mélange. Ces deux Libanais se sont approprié le Brésil. Le Brésil est devenu leur pays, leur patrie.

La problématique du français au Québec tient principalement à un rejet de l'anglais. Je n'ai rien contre la langue anglaise, je parle anglais. J'ai même été élevé en partie en anglais. Mais aujourd'hui, je suis impressionné de marcher sur la rue Mont-Royal, à Montréal, et d'entendre de moins en moins parler français. C'est parfois à se demander si on se trouve bien au Québec... Ce n'est pas une raison pour baisser les bras et croire que la langue française d'Amérique n'a pas besoin d'être protégée, bien au contraire. A contrario, il va sans dire que les nouveaux arrivants ne se déplacent pas sans leur langue maternelle. Nous ne pouvons évidemment pas entrer dans leur domicile respectif et leur imposer l'utilisation de la langue française à la maison. Il est nécessaire de trouver un équilibre. Nos politiques linguistiques, c'est une chose à laquelle il va falloir s'attaquer un jour ou l'autre si on veut que notre culture subsiste. Je crois que le jour où nous respecterons nos éducateurs, où nous rendrons prioritaire leur travail avec nos enfants, où nous-mêmes nous estimerons cette langue française qui fait notre unicité en Amérique, nous aurons gagner le pari. Pour cela, il faut être capable de réaliser que nous sommes dans l'engrenage de l'assimilateur culturel canadien. Il nous faut cesser d'être démagogue et nous débarasser du discours *politically correct*. Lorsque nous relèguerons aux oubliettes les chaussures de nain que notre locateur nous a données à bail, pour porter les bottes de géant que nous sommes ; des bottes qui seront peut-être sales à force de travail, mais qui seront les nôtres.

Mais quand on y pense, le français, c'est quoi ? C'est un mélange de plusieurs langues, comme toutes les langues, d'ailleurs. Le français est composé de mots d'origines grecque, indienne, de dérivés de dialectes amérindiens, d'anglicismes, de barbarismes... Les barbares, c'était qui ? Les Ostrogoths, les Wisigoths, les Francs... Des peuples qui, à l'époque, parlaient chacun leur langue, elle-même dérivée d'autres langues plus anciennes. Au fil du temps, à force de guerres, de royaumes, de conquêtes, etc., toutes les langues ont fini par se mélanger, et les mots de l'une se sont transformés pour devenir les mots d'une autre.

Quand je me trouvais au Brésil, il m'arrivait d'avoir de la difficulté à saisir certains mots du portugais. Le portugais, à la base, ressemble beaucoup à l'espagnol. Mais l'Espagne, le Portugal, la France ont été conquis par les Maures, qui parlaient arabe et qui étaient musulmans, et qui ont régné pendant 400 ans sur ces territoires. Ce qui fait qu'aujourd'hui, on retrouve dans la langue portugaise beaucoup de mots arabes. Par exemple, *azeite* signifie « huile, sauce ». C'est le même mot en arabe. Je demandais alors à mes amis : « Ça vient d'où, ce mot-là ? Ce n'est pas latin ! En français, en espagnol, je reconnaîtrais la racine étymologique du mot, comme *olio* pour huile, par exemple. Mais ce terme ne me rappelle rien. Comment ça se fait ? » Et ce qu'on m'a expliqué tout bonnement, c'est que ces mots, je ne les reconnaissais pas parce qu'ils venaient de l'arabe.

Même au niveau des langues, tout est déjà mélangé. En préserver une, ce n'est pas rejeter unilatéralement toutes les autres, c'est connaître son histoire, admettre ses influences, et faire en sorte de la transmettre aux immigrants qui s'installent chez nous comme on la transmet à nos enfants. Une langue, c'est un point de vue, une façon de voir, de raconter et de construire le monde.

La question des origines

Le métissage constitue évidemment une solution au racisme. Quand il n'y a plus de différences raciales, quand il n'existe plus de distinctions culturelles, deux communautés ne peuvent plus s'opposer l'une à l'autre sur la simple base de la préservation de sa propre suprématie, de la peur de l'inconnu, du rejet de l'autre. Mais nous n'y sommes pas encore, loin de là.

Quand les gens me demandent d'où je viens, aujourd'hui, j'ai beaucoup de difficulté à répondre. Dans les faits, ce serait facile pour moi de dire que je suis d'origine haïtienne. Je suis né à Port-au-Prince, que j'ai quitté à l'âge de quatre ans. Mais quand les gens me demandent si je me perçois comme un Haïtien, comme un Québécois, comme un immigrant, c'est encore plus dur de répondre. Oui, je suis né en Haïti. Mais est-ce que ça fait de moi un Haïtien ?

Imaginons un petit garçon qui serait né en Haïti de parents noirs et aurait été adopté, disons, par des diplomates chinois. Il vit en Haïti pendant cinq ans, il parle créole et apprend un peu le mandarin à la maison. Ses parents diplomates sont ensuite affectés en Angleterre. Il apprend donc l'anglais, puis, quatre ans plus tard, la petite famille se retrouve au Sénégal. Arrivé à sa majorité, le jeune homme décide de s'établir définitive-ment en Ontario. Alors, le petit garçon du début, il est quoi ? Haïtien, Anglais, Africain ? Canadien ?... Ce n'est pas évident ! Il y a 100 ans, une telle situation ne se produisait pratique-ment jamais. Il y a 100 ans, quand quelqu'un avait fait trois voyages dans sa vie, c'était le signe qu'il était très, très riche. Il était presque impossible pour quelqu'un qui n'était pas riche de traverser l'Atlantique ! Mais aujourd'hui, ce n'est plus ça. Avec 500 dollars, on est parti ! Selon la saison, avec 1 000 dollars, on se retrouve de l'autre côté de la planète, on y rencontre des gens, on peut choisir d'y vivre ou de rentrer chez soi. Alors, conséquemment, les frontières entre les individus d'origines diverses s'estompent de plus en plus.

Ce n'est plus aussi aisé de dire simplement : « Je suis Canadien. » Prenons une jeune femme blanche, née de parents québécois, qui vit au Québec depuis sa naissance. Est-elle Canadienne? Oui, elle l'est. Elle est Québécoise. Elle a peut-être en elle un peu de l'Amérindien. Ses ancêtres, d'origine française, ont quitté leur Normandie natale pour venir s'établir sur les rives du fleuve Saint-Laurent. Si on recule encore dans le temps, ses ancêtres normands avaient peut-être eux-mêmes des ancêtres bretons – l'Angleterre est juste en face, de l'autre côté de la Manche. Et la Normandie n'est pas trop loin de l'Est de la France, alors ils avaient peut-être en eux un peu de l'Allemand. Les Espagnols n'étaient pas loin non plus… Alors, elle est quoi, notre jeune femme blanche qui a toujours vécu au Québec?

Nous sommes tous le produit d'un mélange. On n'a qu'à retourner dans le temps pour le constater. Il y a 10 000 ans, nous étions moins de 10 millions d'habitants sur la Terre. Aujourd'hui, nous sommes presque 7 milliards. Ce sont de ces 10 millions que découlent les 7 milliards. Nous avons tous les mêmes souches. Nous sommes tous mélangés.

Ce que je trouve magnifique avec la langue créole, c'est que son nom lui-même indique qu'il s'agit d'un mélange. Ça ne ment pas: «créole» veut dire «mélange». Le terme «créole» (en espagnol ancien, *creollo*, devenu *criollo*) désignait dans les années 1600 un aristocrate blanc d'origine française, espagnole ou portugaise, né dans un territoire colonisé par les Européens, et le différenciait des Européens (Français, Espagnols, Portugais) nés dans la mère patrie. À partir du xxe siècle, on a commencé à appeler «Créoles» les membres des populations métissées d'Amérique latine, des Antilles, de l'île de La Réunion et de l'île Maurice.

Ça veut dire quoi, tout ça? On est mélangés! En moi, j'ai de l'Espagnol, du Français, de l'Africain…

Et l'Afrique, c'est le continent où il y a le plus de diversité sur la planète. On y recense plus de 2 000 langues parlées. Les distinctions entre les membres de certaines communautés n'ont peut-être pas l'air évidentes, mais pour d'autres, elles sautent aux yeux. Il y a quand même une très grande différence entre un Peul et un Pygmée! Chez les Peuls, que l'on retrouve principalement en Afrique de l'Ouest, au Tchad, en République centrafricaine et au Soudan, une femme qui mesure six pieds est petite. Chez les Pygmées, qui vivent en Afrique centrale et en Asie du Sud-Est, une femme qui mesure cinq pieds est une géante. Il y a donc quand même de petites différences! Les Africains ne se ressemblent pas tous. Un Congolais ne ressemble pas à un Malien, et un Malien ne ressemble pas à un habitant de l'Afrique du Sud. Ils n'ont pas les mêmes traits, et ils ne sont pas de la même couleur. On peut généraliser et dire qu'il s'agit de Noirs, point final. Mais le Noir d'Afrique du Sud, sa peau est d'un brun rougeâtre foncé. Dans des endroits de l'Afrique tropicale, la peau des habitants aura une teinte semblable à celle de la mienne : une peau plus foncée, mais d'une teinte plus jaunâtre. Les Peuls sont bleus. Leur peau est d'un noir tellement foncé qu'il y a un reflet bleu violacé. Ils sont très grands – certains d'entre eux mesurent près de sept pieds – parce que plus un corps est élancé, plus la chaleur se disperse. Et puis, ils sont totalement imberbes. C'est une simple question d'adaptation. Quiconque vit dans un endroit où il fait 45 degrés Celsius toute l'année n'a pas besoin d'avoir de poils. Les Peuls ont donc la peau soyeuse, douce, gorgée de mélanine. Un individu dont la peau en est complètement dépourvue provient obligatoirement d'un pays du Nord et n'en a jamais eu besoin pour se protéger.

Un peu de biologie...

La différence de couleurs de peau est donc directement liée à la production de mélanine. Les pigments les plus gros et les plus dispersés correspondent aux peaux foncées, et les pigments les moins gros, disposés en amas, correspondent aux peaux les plus claires. Ainsi, la couleur dépend de la quantité de mélanine produite et de la disposition des pigments. Les différences ne sont donc pas qualitatives, mais quantitatives. Un support génétique évident vient influencer la quantité et la disposition des pigments, mais les scientifiques ne savent pas encore clairement comment cela fonctionne. Actuellement, on estime que plusieurs gènes interviennent et additionnent leurs effets. Il existe, de plus, un facteur pigmentaire général, portant sur la peau, les yeux et les cheveux. C'est quand ce facteur fait défaut, par suite d'une mutation, qu'on voit naître des sujets dits « albinos » : leur peau et leurs cheveux sont blancs.

La couleur de la peau, comme on l'a dit, est évidemment un caractère adaptatif, car les populations les plus pigmentées sont concentrées dans les régions les plus chaudes et les plus ensoleillées. La couleur de la peau ne permet pas à elle seule de caractériser une race : les habitants du sud de l'Inde et les autochtones de l'Australie ne sont pas des Noirs, même s'ils sont aussi pigmentés que les Noirs d'Afrique.

Qu'on regarde la stature des êtres humains, en termes de population ou d'âge. On obtient toujours des résultats qui nous indiquent que les différentes classifications se chevauchent. Il est donc impossible de séparer les humains. Souvent, même, la variation à l'intérieur d'une population est plus grande qu'entre deux populations dites différentes.

En Équateur, où l'on trouve un climat très chaud, la stature des habitants (Tutsi et Watusi) est très haute et longiligne, comme celle des Peuls dont on parlait plus haut. En Arctique, les habitants (comme les Inuits) sont généralement de basse stature (qu'on appelle aussi bréviligne), puisque le climat y est froid. La stature est aussi un caractère adaptatif : elle permet aux individus, selon le climat, d'optimiser leur dépense calorique. Plus on est grand, plus la surface est grande et le volume est petit, ce qui permet une perte de chaleur importante. Plus on est petit, plus la surface est petite et le volume est grand, ce qui permet de conserver la chaleur.

Une petite parenthèse, en passant, concernant l'ADN. Aux États-Unis, pour beaucoup d'Américains, c'est devenu une mode que d'aller consulter des spécialistes qui peuvent retracer le village africain duquel leurs ancêtres étaient originaires. Ces gens fournissent un service de « généalogie ADN » grâce auquel, la plupart du temps, des Occidentaux découvriront que depuis des siècles, ils portent en eux, dans leurs gènes, des traces des peuples avec lesquels ils se sont métissés. Des peuples avec lesquels ils n'ont apparemment plus rien à voir aujourd'hui...

Alors, c'est un peu tout ça. Ces différences n'en sont pas. Oui, je suis né à Haïti, j'ai vécu au Québec, aux États-Unis, en France, en Angleterre, j'ai fait le tour du monde, je me suis promené un peu partout, j'ai appris. Mais aujourd'hui, le monde, ça devient ça. On est rendus là. Quelqu'un aurait beau passer toute sa vie à Montréal sans jamais quitter la ville, grâce à Internet, il rencontrera néanmoins des gens de la Russie, de la Chine, du Japon, il parlera à des gens partout, prendra un peu de leur culture. En fait, il s'agit même d'une autre façon de créer une culture métissée. La «langue Internet» qui se développe depuis quelques années, ça me semble être le début de quelque chose…

Une universalisation est aujourd'hui en train de se produire, et le mot «mondialisation» n'est plus à la hauteur de la situation. Ce que nous vivons, c'est un métissage. Nous sommes vraiment en train de nous amalgamer. Nous sommes en train de devenir UN, et il faut absolument que nous nous retrouvions dans une unicité où chacun aurait le droit d'être, dans une unicité où chacun aurait droit à sa différence. Le nombre d'éléments qui nous distinguent est insignifiant lorsque l'on prend conscience de tout ce qui nous unit. La science a tué le concept même de race en ce qui a trait à l'humain, il y a de cela très longtemps, mais, malheureusement, l'enterrement s'étire en longueur…

L'homogénéité que proposent les courants de la mondialisation, c'est un modèle duquel les différences et divergences sont bannies, c'est une mentalité selon laquelle tout ce qui est marginal, ou simplement «non conforme», constitue un danger. Par le biais des médias, les pères de la mondialisation imposent peu à peu certaines choses, culturellement, par exemple. «Les films que vous regarderez, les livres que vous lirez, ce sont ceux-là. L'idéologie selon laquelle votre pensée sera façonnée, c'est celle-là. Vos besoins, ce sont ceux-là, et les produits qui vous seront indispensables pour les combler, vous les achèterez à tel endroit.»

Mais pour entraver la progression de cette mentalité, pour en arriver, au bout du compte, à l'éliminer définitivement, par où commencer ?

BIEN PLUS QUE DU SANG

Faut que j'vous parle
Comme ça s'parlait dans l'temps
Faut qu'j'vous jase
Et c'est très important

Faut que vous l'dise dans ma parlure
Qu'ma langue c'est pas juste une parure
C'est l'feu qui brûle de l'intérieur
Qui troque la chair pour d'la lumière

Qui allume le calumet d'l'amour
Autour du feu d'nos âmes d'enfants
Qui fait savoir que dans nos cœurs
Mon chum, y a bien plus que du sang

Faut qu'vous prose
Comme un poète vivant
Faut que j'rime pis qu' j'ose
C'est encore important

Faut que j'te cause en joual, mon frère
Ma rose, c't'une fleur de lys, mon frère
Pis si j'préfère les guerres florales
C'est qu'ça sent bon, qu'ça fait moins mal
Aux mères des enfants disparus
Aux pères des soldats inconnus
Aux frères qui n'ont plus de frères
Aux sœurs qui perdent leur âme sœur

Faut que j'parle de conscience à soir
On a-tu l'droit d'être qui on est, calvaire !
Sans s'laisser dire qu'on exagère ?
Sans s'cacher derrière une croix ?
Sans se plier à une foi qui nous a pillés plus d'une fois ?
L'appartenance, si c't'une armure
Ça peut pas être une carapace
La vérité laissera des traces
Même s'il faut qu'on la murmure

Dans nos cœurs, y a bien plus que du sang

Luck Mervil

Chapitre 5

DEVENIR HUMAINS :
MENTALITÉS EN VOIE D'EXTINCTION

L'homme n'est pas un loup pour l'homme, il est bien pire.
Il est un homme pour l'homme.

L'eau monte

On parle beaucoup d'environnement et de réchauffement planétaire. Mais est-ce qu'on réalise pleinement dans quel état critique la Terre se trouve ? Je ne crois pas que nous en soyons tout à fait conscients, malgré toutes les campagnes d'information et de sensibilisation qui ont été menées depuis les dernières années. L'hiver que nous venons de traverser nous a bien servis en ce sens : les chutes de neige record qui ont enseveli le Québec en 2007-2008 indiquent bien à quel point le climat est en train de changer, et à quel point il change vite. Et, en passant, ce sera pire l'année prochaine...

En Amérique du Sud, il y a des endroits où il fait beau toute l'année : c'est littéralement paradisiaque. Souvent, les gens vivent sur des territoires qui faisaient partie de la forêt amazonienne. La terre y est fertile, tout y pousse, même dans les grandes mégapoles. La forêt amazonienne, c'est un peu la caverne d'Ali Baba de gènes et de molécules de la planète, c'est un laboratoire extraordinaire du phénomène vivant, que nous commençons à peine à comprendre. C'est l'écosystème le plus diversifié de la planète. Pourtant, pour réussir à augmenter la production agricole, donc pour des raisons économiques, on la détruit. La construction de barrages a provoqué le dessèchement de certains territoires. On a coupé des arbres à outrance dans le but d'agrandir les pâturages. La déforestation a atteint un sommet historique en 1994-1995 (29 050 kilomètres carrés de territoire déboisé). Plus de 17 % de la végétation originelle de la forêt amazonienne a déjà été détruite à l'heure actuelle. Selon certains chercheurs, d'ici l'an 2050, 40 % de la forêt pourrait disparaître. Ceux qui ont agi ainsi n'ont vraiment pas été brillants, à plusieurs égards. On peut bien le leur reprocher, dire qu'ils sont fous de couper les arbres, mais nous l'avons fait, nous aussi, et le faisons encore. Nous avons déboisé et déboisons toujours des territoires essentiels à l'équilibre de notre écosystème. Nous exploitons des terres et leurs populations à outrance. Nous massacrons des espèces animales pour des raisons plus que douteuses, par exemple pour profiter des attributs sexuels que leur consommation pourrait nous procurer. Nous profitons de guerres que nous avons souvent orchestrées, question de vendre des armes aux plus offrants. Nous maintenons des pays dans un état d'arriération perpétuelle, question de profiter de leur crédulité, et ce, tout en mettant de l'avant notre grandeur d'âme, notre infaillible moralité, ainsi que notre sens inné de la justice. Ce sont ces gestes-là qui nous ont enrichis. Aujourd'hui, certains pays d'Asie, d'Amérique du Sud et même d'Afrique emboîtent le pas et agissent comme nous, les pays occidentaux, l'avons trop longtemps fait impunément. Et nous, au lieu de faire notre *mea-culpa* en assumant nos erreurs, en changeant radicalement notre attitude, en établissant des règles bienveillantes, progressistes, humanitaires et équitables pour l'ensemble de la communauté terrestre, nous passons notre temps à jouer aux vierges offensées. Pendant ce temps, les pays émergents commencent malheureusement à suivre le terrible modèle que nous leur avons donné. On s'acharne à dire qu'ils sont fous, qu'ils sont cons, qu'ils ne sont pas corrects. C'est peut-être vrai, mais nous le sommes tout autant…

Prenons un pays agraire comme le Népal, par exemple. Le Népal est peuplé par 27 millions d'habitants, et 80 % de ceux-ci vivent de l'agriculture. Le riz constitue leur aliment de base. Sur ce territoire s'accumulent en moyenne 30 centimètres de pluie chaque année durant la mousson (de juin à septembre). Pour les agriculteurs népalais, c'est parfait : cette eau arrive à point pour irriguer les cultures et faire pousser le riz. C'est bon pour la terre, c'est bon pour le riz, c'est bon pour les gens.

Mais l'équilibre, peu à peu, a été rompu, et ce sont désormais deux mètres d'eau qui envahissent les champs, chaque saison. Deux mètres d'eau, c'est une piscine. Selon le niveau du sol, dans certains endroits, les précipitations peuvent même atteindre trois mètres. Il y a sur ces territoires des maisons qui, elles, sont au niveau du sol. Ces maisons se retrouvent sous l'eau ! Les enfants des agriculteurs népalais, ils ne savent pas nager ! Ils vivent et grandissent sur la plaine où il n'y a habituellement pas d'eau ! Alors, on parle de noyades. Des bœufs, ça ne flotte pas, ça coule. Le bétail est perdu, les récoltes sont perdues, noyées, détruites. Ces gens perdent tout, à moins de choisir de vivre avec les poissons... Et aux dernières nouvelles, les Népalais n'avaient toujours pas de branchies.

Ces gens, au Népal, pensez-vous qu'ils ne sont pas conscients de ce qui se passe au niveau de l'environnement ? Certains ne savent peut-être pas l'exprimer, d'autres ne le comprennent pas d'un point de vue scientifique, mais ils voient bien que chaque année, le niveau d'eau augmente et savent que l'année prochaine, ce sera pire. Aux endroits où il y avait un mètre de précipitations, il y en aura un et demi. Et il ne faut pas oublier que le Népal, c'est le toit du monde, c'est l'Everest. Non seulement il pleut de plus en plus, mais la neige des sommets fond et descend des montagnes. C'est ça, pour eux, le réchauffement planétaire. C'est là, maintenant. C'est tout de suite que ça se passe.

Au Mali, les changements climatiques, ça signifie qu'à un endroit où il faisait 40 degrés à l'ombre, il en fait aujourd'hui 45. Ce sont cinq degrés de plus. Ça veut dire que le désert, au lieu de progresser à raison de un kilomètre par an, progresse maintenant de cinq kilomètres chaque année. Et beaucoup plus d'enfants et de vieillards meurent à cause de cette chaleur.

Quand la température change, tout change. Les migrations des animaux, des insectes, les moustiques porteurs de virus entre autres, le déplacement des pollens. Sur le site du gouvernement du Canada, seulement en ce qui concerne l'agriculture, on évoque les risques suivants :

– la probabilité de survie des virus, d'une année à l'autre, risque d'augmenter;

– les hivers plus chauds risquent d'étendre la gamme d'insectes et d'aggraver les infestations et les maladies;

– les hivers plus longs et plus chauds risquent d'entraîner des infestations plus fréquentes de parasites tels que le doryphore de la pomme de terre;

– le taux de prolifération des agents pathogènes et la résistance de l'hôte risquent de changer;

– la distribution géographique des maladies des plantes risque de changer;

– l'interaction des mauvaises herbes et des cultures risque d'être influencée.

J'ai moi-même vu l'année dernière, sur un arbre à Montréal, une plante originaire d'Haïti dont le nom scientifique est *cassytha filiformis*. En Haïti, on l'appelle la liane amitié parce que cette plante parasitaire se colle à un arbre, prend un peu de sa sève et s'en nourrit. C'est une très belle plante à fleurs jaunes, et elle forme une belle guirlande jaune sur son arbre-hôte. Et j'ai vu cette plante à Montréal. Ce n'est pas normal! Elle n'a pas été transplantée, elle a poussé là toute seule. Des oiseaux migrateurs sont probablement revenus avec le pollen de cette fleur sur leurs pattes ou dans leurs plumes, depuis toujours. Mais jusqu'à tout récemment, la liane amitié ne réussissait apparemment pas à survivre ici. Aujourd'hui, on dirait bien que ça prend! Le pollen se colle aux arbres et la plante survit. Je ne suis pas botaniste et je n'ai pas la prétention de comprendre ni de pouvoir vous donner une explication dans les règles de l'art de ce qui a bien pu se passer pour que cette plante se retrouve là où je l'ai vue, mais, à mon humble avis, il est clair que le réchauffement climatique y est pour quelque chose.

Parfois, un petit changement de température de un degré, de deux degrés fait toute la différence. Au Québec, on a tous suivi des cours de chimie. On sait très bien qu'une différence de un degré, ça signifie que l'eau bout ou ne bout pas. Chez nous, quatre saisons se succèdent chaque année: on a connu des hivers froids pour ne pas dire «frettes» et des étés caniculaires pour ne pas dire «crissement» chauds et humides. On sait ce que c'est que le changement de température. À zéro degré Celsius, l'eau gèle. Au-dessus de zéro, l'eau ne gèle pas. C'est une fine ligne, mais c'est une ligne importante. De chaque côté de cette ligne, les propriétés de la matière ne sont pas les mêmes : elle est solide ou elle est liquide. C'est quand même plutôt crucial ! C'est la différence entre recevoir sur la tête un seau d'eau froide et un bloc de glace. L'un vous fait frissonner, et l'autre vous fracture le crâne. Si je saute du deuxième étage d'un édifice et que je tombe dans une profonde piscine d'eau froide, je n'ai pas de problème. Le même saut sur de la glace et je me casse les deux jambes.

Et ce sont ces petits changements cruciaux qui sont en train de se produire sur la planète. On risque fort de se casser la gueule.

Ici, quand on apprend que des inondations sont survenues au Népal, on se dit tout de suite qu'il y a urgence, qu'il faut agir immédiatement pour sauver des vies, nourrir les survivants, leur faire parvenir de l'eau potable, les délocaliser, s'assurer qu'ils puissent avoir accès aux premiers soins. Moi, ce que j'en dis, c'est que, non, désolé, il n'y a pas urgence. Quand survient un problème inattendu et passager, on peut parler d'urgence. Ce qui se produit aujourd'hui au Népal, c'était prévu depuis longtemps. Une inondation au Népal a toujours été possible et il y en a eu, mais aujourd'hui, ce n'est pas un problème ponctuel, c'est un fléau récurrent.

Ça se produira encore l'année prochaine, et ce sera pire. Ces catastrophes deviennent ainsi un état continuel. On ne peut s'en tenir à une gestion dite « de crise ». On ne peut pas proposer une solution momentanée et se contenter de dire : « Vite ! Des enfants meurent, il faut que je règle ça ! » Je m'excuse, c'est dommage, ce que je vais dire, mais, parfois, il faut faire des sacrifices et oser dire : « Je sais que le temps presse, je sais qu'il y a des dommages à réparer ici et maintenant, mais il faut faire fi de ça et se préparer à long terme. » Il faut que quelqu'un dise : « L'année prochaine, je dois vous informer que vous allez avoir autant d'eau, sinon plus. Parce qu'il ne s'agit pas seulement d'une catastrophe naturelle ni d'un événement isolé. Ça va se reproduire l'année prochaine parce que la Terre est en train de se réchauffer, alors prenons des mesures à long terme. »

Le rôle des médias

Aujourd'hui, ce sont les médias qui règnent. Si on veut qu'un organisme d'entraide ait accès à des sous, il faut que celui-ci ait accès au public et prenne l'entière responsabilité de ses gestes. Il lui faut tout enregistrer, tout répertorier, tout archiver et maintenir une banque de données complète concernant ses activités et leurs effets. Il lui faut pouvoir revenir dans le temps et démontrer ce qui s'est passé. Il lui faut faire un compte rendu de chaque geste, en garder une trace et la rendre accessible au public. Le CECI avait déjà un site Internet au moment où je me suis joint à lui, mais j'ai encouragé ses gens à réorganiser et, surtout, à vulgariser l'information qu'on y trouve. C'est monsieur et madame Tout-le-monde qui leur donnent des sous. Il faut qu'ils comprennent ce qu'on leur raconte.

Ce n'est pas toujours une chose simple, pour des gens qui ont à cœur leur travail, que de vulgariser l'information. Et je les comprends. En plus de leur enseigner une profession, on leur a appris un langage. Le langage de l'humanitaire n'est pas simple. La multitude de contractions à employer est une langue en soi. Je vous mets au défi de deviner ce qu'est l'ONVPE, l'AQOCI, le RIPESS ou l'URÉCOS-CI. Bon, l'ONVPE, c'est l'Organisation nigérienne de volontaires pour la préservation de l'environnement; l'AQOCI, c'est l'Association québécoise des organismes de coopération internationale; le RIPESS est le Réseau intercontinental de promotion de l'économie sociale solidaire à Dakar; l'URÉCOS-CI, c'est la Nouvelle Union régionale des entreprises coopératives des savanes de Côte d'Ivoire. Croyez-moi sur parole, c'est la pointe de l'iceberg. Un médecin ne parle pas comme un ingénieur. Ils n'ont pas le même langage. Les médecins entre eux se comprennent. D'innombrables choses m'échappent à moi, qui ne suis pas médecin, dans le jargon professionnel du médecin. Alors, ils doivent vulgariser, simplifier, utiliser d'autres termes plus accessibles, pour que monsieur et madame Tout-le-monde puissent les comprendre et soient à même de recevoir l'information. Parce que la situation que gère le médecin relève peut-être d'un problème d'ordre médical, mais c'est une situation qui concerne tout le monde. On doit être en mesure de s'en informer.

Et en plus d'informer les gens, il faut les toucher, il faut les rejoindre. C'est de leur argent qu'on a besoin ; il faut être en mesure de leur expliquer pourquoi il est important qu'ils fassent des dons. Et il est encore plus important de leur faire comprendre que, peu importe où ils se trouvent dans le monde, le problème des Népalais, des Pygmées ou autres les concerne. On ne le sait pas, mais l'ADN de l'autre contient peut-être un élément susceptible de combattre un virus qui attaquerait un jour ou l'autre les Amériques ou l'Europe et décimerait le tiers de leur population. Qui sait ? Nous savons par contre que nous sommes tous interdépendants.

Bien que la mondialisation ait des conséquences globales majoritairement néfastes, l'universalisation de la connaissance a tout de même fait reculer l'idée, dominante à un moment donné, selon laquelle tout ce qui se passe dans le monde est loin de nous. « Ça ne me concerne pas, ce n'est pas chez nous, c'est dans un pays lointain… » Aujourd'hui, tout ce qui se passe, ça se passe dans notre cour.

Il n'y a plus de frontières

Je pense que nous sommes plus conscientisés. Le SRAS, le sida, la grippe aviaire, la maladie de la vache folle, les attentats du 11 septembre 2001, l'ouragan Katrina, l'augmentation du prix de l'essence… Plein d'événements ont contribué à attiser nos consciences. Au moment de l'apparition de la grippe aviaire, par exemple, on a réalisé qu'un coup de vent pouvait apporter le virus, qu'un simple oiseau pouvait le transporter chez nous. Il n'y a pas de frontières. Les frontières n'existent plus. Et comme je le disais au premier chapitre, la mondialisation est tout d'abord économique. Les institutions financières ont déjà compris que les frontières constituent une notion abstraite. Il n'y a pas de frontières en Bourse. Quiconque peut se trouver n'importe où et investir n'importe où. L'argent n'a ni couleur ni pays… et quand on s'arrête à y penser, on réalise que l'argent n'existe même plus physiquement. C'est une illusion. C'est un élément virtuel dont aucune frontière ne peut restreindre les mouvements.

Il y a une centaine d'années, par exemple, Henry Ford pouvait dire : « J'ai 5 000 employés américains, je suis fier qu'ils paient des impôts américains, qu'ils paient des taxes américaines et qu'ils travaillent aux États-Unis. C'est nous, c'est américain, c'est la force des bras de notre pays, de notre patrie.» Ce patriotisme américain n'existe plus. Aujourd'hui, le discours des dirigeants de grandes entreprises ressemble beaucoup plus à celui-ci : « Où est-ce que je peux aller faire fabriquer mes voitures pour que ça me coûte le moins cher? En Chine? Je m'en vais en Chine. Au revoir! En Inde? Je cours en Inde. D'où viendra mon argent? Eh bien, il viendra des Indes.» C'est tout, ça finit là. C'est le marché. L'argent n'est plus lié au fait patriotique, à la patrie, il n'est plus lié à rien d'autre qu'à l'image du pouvoir. À la notion de riche ou de pauvre. Un homme très riche m'a dit un jour : « Il y a la race des riches et celle des pauvres. Où est-ce qu'il est préférable d'être d'après vous? C'est humain que de vouloir appartenir à la race qui vit dans les meilleures conditions. Le patriotisme d'identité nationale est en déclin. Le nouveau nationalisme est bipolaire. Il va falloir qu'on le réalise. Je suis riche et ma race est la meilleure.»

L'ADN, par exemple, le fait que nous soyons tous, sans distinctions, organiquement constitués de la même manière, est une des choses qui doivent nous faire réaliser – et le plus rapidement sera le mieux – que les changements que nous devons traverser, plus que des changements d'institutions, sont des changements de mentalité. C'est notre mentalité qui doit changer, à tous les égards : économique, environnemental, humain, éducationnel.

Éducation – de l'histoire

Un changement de mentalité relatif à l'éducation implique, entre autres choses, qu'il faudra nécessairement prendre plusieurs de nos livres d'histoire et les brûler. Parce que ces livres ne valent rien. De tout temps, on a raconté l'histoire des vainqueurs. Si on veut éduquer, on doit raconter l'histoire de l'humanité.

L'histoire est un fait majeur de l'éducation. Avant une guerre, par exemple, il se passe à peu près toujours les mêmes choses. Il se produit un déséquilibre au niveau économique et, après ce déséquilibre, il risque d'y avoir des grèves de la faim, des soulèvements populaires, etc. Le jour où on sait reconnaître ces signaux-là, sans être prophète, on peut extrapoler, puisqu'on a compris l'équation. Les cycles sont toujours les mêmes parce que la nature humaine ne change pas. Il faut être féru d'histoire. L'histoire, il est primordial aujourd'hui d'y retourner. L'âge de cuivre, l'âge de bronze, l'âge de fer, l'invention de l'imprimerie... la révolution industrielle, l'ère de la technologie... Chaque fois que des changements technologiques sont survenus, il y a eu un changement de pouvoir, un changement d'hégémonie, il y a eu le déclin de tel empire, etc. C'est toujours la même chose. L'histoire se répète constamment.

L'histoire est la mémoire. C'est cette capacité mémorielle qui, soudée à cet élément fondamental qu'est le langage, a permis à l'humanité d'évoluer. L'étude de l'histoire de l'humanité est donc primordiale. Mais pour raconter l'histoire de l'humanité, il faut que chacun d'entre nous devienne humain. La mentalité doit changer. Avant d'être un Noir, je dois être un humain. Parce que si je suis un Noir, si je me définis en tant que Noir, j'aurai tendance à raconter l'histoire des Noirs du point de vue des Noirs. Je raconterai mon point de vue, à ma façon. Le jour où je deviendrai un humain, je raconterai l'histoire des humains du point de vue des humains. Je raconterai qu'un *Code noir* est paru en France en 1685 pour définir la traite des Noirs et l'esclavage comme étant acceptables d'un point de vue juridique. Dans ce texte, le Noir est décrit comme une marchandise. Lui donner la mort en tout temps, sans justification, était autorisé à cette époque. Du point de vue des Noirs, et avec les connaissances que nous avons aujourd'hui, la parution de ce texte constitue un acte d'une violence innommable et c'était le cas. Mais il importe aussi de comprendre qu'à l'époque, les gens, en France, vivaient de telle manière. Au niveau de leurs connaissances, de leur compréhension de la réalité du monde, ils en étaient là. C'est pour cette raison qu'ils pensaient et agissaient comme ça. Leur éducation était limitée. Leur façon de voir était celle-ci, leur philosophie était celle-là. C'est pour toutes ces raisons qu'ils ont agi ainsi. D'un point de vue historique, ils se trouvaient à un endroit précis dans le temps et ont perpétré des atrocités sans nom. Si j'accepte l'ignorance crasse de ces hommes du XVIIe siècle, je deviens un être brimé dont l'humanité est attachée et enchaînée à une couleur. Je deviens la couleur noire. Une couleur que j'aime beaucoup. Mais pas au point de n'être que ça et de passer à côté de ma destinée d'humain. Je ne jouerai pas le jeu de ces hommes du XVIIe siècle. Je revendique d'abord mon humanité et je m'insurge contre ces cruautés, mais sans oublier de réclamer l'intégralité de cette histoire noire et blanche qui est la mienne. Je ne suis pas seulement *Black*, je suis humain. L'histoire de la Rome antique, des tsars de Russie, des Rwandais, des Amérindiens, des Aborigènes, des empereurs de Chine, etc., est mon histoire.

L'esclavage des Noirs est un élément de l'histoire très bien documenté. Imaginons, par exemple, que les millions de descendants d'esclaves africains se présentent à l'ONU et déclarent : « OK, vous avez profité de nous pendant longtemps. Il y a des redevances à verser. Vous allez nous payer pour ça. Bon ! On parle de quoi, 400 ans d'esclavage ? Faisons le calcul. Si on considère que les esclaves travaillaient du lever au coucher du soleil, ça fait en moyenne une douzaine d'heures, jusqu'à 16 heures par jour, parfois. Si on fait le calcul pour 40 millions de personnes sur 400 ans à tant d'argent par jour, et qu'on ajoute les intérêts à un taux relativement bas, on sera gentils... » Pouvez-vous imaginer combien d'argent ça ferait ? ! Est-ce qu'on va l'accepter ? Jamais de la vie ! La Terre appartiendrait aux descendants de ces esclaves pour 100 ans ! C'est un prix que personne n'accepterait de payer. Pas parce qu'il s'agit de Noirs, mais parce que cela reviendrait à instaurer une nouvelle inégalité pour en régler une ancienne. Cela équivaudrait aussi à ramener un tort énorme à une époque à laquelle ce tort n'appartient pas.

Avec une telle mentalité, on n'est plus dans l'universalité. On se confine à un point de vue restreint, on enfile des œillères, et on ne peut concevoir l'histoire que comme une distinction entre le vainqueur et le vaincu, et moi, le Noir, je deviens ce vaincu, cette victime. Alors que si je suis un humain, je dois concevoir le fait de la traite négrière dans une certaine universalité, dans une certaine ouverture, et considérer que ça fait partie de l'histoire. Ce n'est pas MON histoire, c'est NOTRE histoire.

Et ça, ça change tout. Ça change totalement le point de vue, la façon de voir, et ça nous ramène à la vérité. Je peux m'asseoir à côté d'un Occidental au teint pâle et aux yeux bleus, et on s'entendra pour dire que l'humain a fait d'autres humains des esclaves. Ce n'est pas le Blanc qui a fait du Noir un esclave. Il y a eu des époques où c'étaient les Noirs qui avaient des Blancs pour esclaves. On n'en parle pas trop, mais c'est arrivé[2].

Samuel de Champlain, ce grand explorateur qui est parmi les premiers Français à être arrivés au Québec et à avoir exploré le territoire et rencontré des Amérindiens de toutes sortes, avait pour guide et interprète un Noir qui s'appelait Mathieu Da Costa :

> D'origine africaine, Mathieu Da Costa gagnait sa vie comme navigateur et interprète. Il a vraisemblablement fait de nombreux voyages vers le Nouveau Monde à la fin des années 1500 et au début des années 1600.
>
> Ses services d'interprétation étaient prisés tant par les Français que par les Hollandais afin de les aider à commercer avec les peuples autochtones. Mathieu Da Costa parlait probablement le français, le hollandais, le portugais ainsi que le «pidgin basque». En fait, ce dialecte était sans doute la langue de commerce la plus utilisée à l'époque avec les peuples autochtones.
>
> La tradition européenne de faire appel à des interprètes de race noire existait déjà depuis plus d'un siècle lorsque Mathieu Da Costa a entrepris ce métier. Cette tradition a vu le jour au cours de voyages au large de la côte africaine et s'est poursuivie au moment où les Européens et les Africains ont franchi les eaux jusqu'aux Amériques. Mathieu Da Costa a probablement pris la mer à maintes occasions. Il a remonté le fleuve Saint-Laurent et a longé la côte du territoire qui forme aujourd'hui les provinces du Canada atlantique. Il a travaillé avec Pierre Dugua de Monts, l'un des fers de

---

2. Pour se secouer les points de vue, voir entre autres le livre de Serge Bilé, *Quand les Noirs avaient des esclaves blancs*, Saint-Malo, Pascal Galodé Éditeurs, 2008.

lance de la colonisation française dans les régions de l'est du Canada, et avec Samuel de Champlain dans les années 1600. Les compétences d'interprète de Mathieu Da Costa ont contribué à combler le fossé culturel et linguistique qui existait entre les premiers explorateurs français et le peuple micmac.

Son travail au Canada est commémoré à l'Habitation du lieu historique national du Canada de Port-Royal, à Annapolis, en Nouvelle-Écosse. (Source : site Internet du gouvernement du Canada, www.pch.gc.ca/special/mdc/dacosta/index_f.cfm)

Ainsi, Mathieu Da Costa est venu ici bien avant Champlain ! Mais à cette époque, un Noir n'a pas d'âme, un Noir est un sous-homme. Un Noir ne peut être ni découvreur ni explorateur. Il n'est qu'un outil. Le vrai explorateur, c'est l'autre, le type blanc à côté, parce que, lui, il a une âme, et bien qu'il ne connaisse pas les langues locales et n'ait jamais visité le territoire, lui, il sait tout. Et c'est Champlain qui est passé à l'histoire. Pas Mathieu Da Costa.

Allons rencontrer des jeunes Québécois, des gens de tous les âges, dans les centres et en région, pour leur parler de l'esclavage au Québec. Ils affirmeront probablement : « Ça n'est jamais arrivé ici, on n'est pas du monde de même ! » Eh bien, oui, il y en a eu, et pas seulement des Amérindiens et des Métis, des Noirs aussi. Marguerite Bourgeoys a eu des esclaves. Les Bourassa en ont eu, les Papineau en ont eu. Ç'a existé ici. Pas au même degré qu'aux États-Unis, mais il y en a eu ici.

En 1734, Marie-Josèphe-Angélique, jeune esclave noire au service de Thérèse de Coignes de Francheville, aurait provoqué un incendie à Montréal. Le feu a pris naissance rue Saint-Paul et s'est propagé à une cinquantaine de maisons avant de brûler l'Hôtel-Dieu, qui venait d'être reconstruit après l'incendie de 1721. On a attribué ce méfait à Marie-Josèphe-Angélique, on l'a jugée, tout est là, tout est écrit. Et qui était son bourreau ? C'était un autre Noir qui arrivait de Québec. Marie-Josèphe-Angélique a été soumise à la torture des brodequins. On lui a broyé les jambes, on l'a ensuite pendue, puis brûlée le 21 juin 1734. Le type qui lui a broyé les jambes, qui lui a noué une corde autour du cou, puis qui l'a brûlée était un homme libre, mais un Noir… C'est quand même symbolique !

La question de l'esclavage est beaucoup plus complexe que ce qu'on en dit. Et ça s'est passé ici, au Québec. La plupart des Québécois ne savent pas ça. Pourquoi ? Parce qu'on ne l'a pas mis dans nos livres d'histoire. Notre devise, c'est : « Je me souviens », mais elle est réduite aujourd'hui à une inscription sur les plaques minéralogiques de nos voitures. On se souvient de quoi ? La fête des Patriotes, qu'on célèbre en mai, ça signifie quoi, pour les gens, à part une journée de congé ? À cause des changements de nature de ce jour férié (fête de la Reine, fête de Dollard des Ormeaux, fête des Patriotes), il y a des gens au Québec qui croient que Dollard des Ormeaux était le chef des Patriotes ! Deux cents ans d'histoire séparent Dollard des Ormeaux des Patriotes…

La plupart des Québécois ne connaissent pas vraiment non plus l'histoire des peuples amérindiens, ceux qu'on appelle maintenant les Premières Nations. On m'a raconté une anecdote concernant l'auteur d'un livre portant sur le fait amérindien au Québec. Au cours d'une lecture publique, certaines personnes ont abordé cet auteur pour lui dire qu'ils en avaient marre d'entendre parler d'immigration ! C'est quand même extraordinaire ! Ce sont les Québécois d'origine française qui sont les immigrants, ici, non les autochtones !

Chacun a son point de vue, encore une fois. Chacun est convaincu que son point de vue est juste… Mais tant qu'on va se voir comme Grec, Noir, Blanc, Chinois, nous n'aurons pas la même histoire. Pourtant, la nature la plus élémentaire nous enseigne que nous sommes tous les mêmes. Par conséquent, nous avons la même histoire. La mort ne fait pas de distinctions. Quand c'est le temps de mourir, peu importe qu'on soit Noir, Blanc ou Chinois, on meurt tous. Et il se passera ensuite la même chose pour tout le monde : on va se décomposer de la même manière. Un cancer attaque un Arabe et un Chinois de la même façon. C'est tout, tout, tout pareil.

Si un Américain du Wyoming est en train de perdre tout son sang et qu'une transfusion est nécessaire pour le sauver, il faudra trouver rapidement un donneur qui a le même groupe sanguin que lui. Si ses parents, son meilleur ami, sa sœur ne l'ont pas, ça ne sert à rien de le transfuser avec leur sang, ça ne fonctionnera pas. Ça peut être un Pygmée qui a le même groupe sanguin. Ils ne se sont jamais vus, jamais rencontrés, ils proviennent de deux endroits très éloignés du globe, mais il lui sauve la vie. Qu'est-ce qu'on n'a pas compris?! C'est hyper simple. Je viens de détruire le racisme au complet en quatre phrases. Comment ça se fait que ce raisonnement ne soit pas universel? Comment ça se fait que la planète au complet ne sache pas ça et, si elle le sait, comment le racisme peut-il encore survivre à notre époque?

Comme je le dis souvent, personnellement, le racisme ne me touche absolument pas, puisque je ne suis pas raciste. Pour moi, celui qui a le problème, c'est celui qui est raciste, ce n'est pas moi. C'est son problème à lui, qui provient d'un manque d'instruction et d'ouverture d'esprit. Mais c'est aussi un problème de société. C'est un indice clair que notre système d'éducation ne fonctionne pas. Si, justement, au niveau de l'universalité de l'éducation, on s'était ouverts ne serait-ce que d'un point de vue historique, le racisme n'existerait plus depuis longtemps. On n'aurait pas à en discuter parce que notre unicité en tant qu'humains serait connue et acceptée de tous. Ça ferait partie de notre cursus. On aurait éliminé la notion de différence en troisième année du primaire. Ce serait comme admettre qu'on a deux bras.

Mais malheureusement, ce n'est pas ce qu'on fait. Et je ne parle que d'histoire. Si on se mettait à parler d'universaliser la philosophie, imaginez ce que ça pourrait apporter comme changements. Si on se mettait à parler d'universaliser la politique, et qu'on la gérait d'un point de vue humain plutôt que d'un point de vue national, ça changerait tout!

Professeurs, maîtres et parents

Ce qui est le plus difficile à changer, ce ne sont pas nos livres, ce sont nos mentalités. Mais il faut passer par nos livres pour changer nos mentalités. Il faut biffer certaines choses et en ajouter d'autres, il faut remettre les pendules à l'heure à plusieurs niveaux, à plusieurs égards.

Il faut revoir notre façon d'éduquer. Il faut revoir l'organisation de notre société. On ne peut pas avoir une Commission des écoles catholiques de Montréal. Ce qu'on appelait à l'époque un système «d'instruction», et qui éduquait, c'étaient les curés qui battaient les enfants. Ces maîtres avaient plus d'autorité que les parents. Aujourd'hui, dans notre système d'éducation, c'est l'inverse. Les maîtres n'existent plus, ils n'ont aucun pouvoir, les élèves peuvent les envoyer promener dans les classes. Il n'y a plus de maîtres. En fait, ce qui a disparu, c'est le respect. Il n'y a plus aucun respect, on a donné trop de droits à nos enfants. Je ne dis pas qu'il ne faut pas leur en donner, je dis simplement qu'un équilibre est nécessaire. On est allés totalement dans l'autre direction, et ça ne fonctionne absolument pas.

Ce qu'il faut trouver, c'est l'équilibre. Et il va falloir le trouver vite. De nos jours, un enseignant dira à un élève : «Excuse-moi, tu dors sur ton pupitre, t'as un iPod sur les oreilles et, en plus, le volume de ton iPod étant trop fort, il dérange les autres élèves.» Et il est pratiquement devenu acceptable d'entendre l'élève lui répondre : «C'est quoi, ton «tabarnak» de problème ? Va donc chier!», se recoucher, replacer les écouteurs de son iPod sur ses oreilles et monter le volume. Si l'enseignant touche à l'élève, c'est lui qui se retrouve avec un problème. S'il crie, une armée de psychologues interviendra, défendra l'élève qui a été brusqué et humilié, et fera de l'enseignant un tortionnaire qui vient de détruire cet enfant en anéantissant son estime de lui-même et, à la limite, recommandera à la direction qu'elle lui retire son poste d'enseignant pour abus de pouvoir.

On nage en pleine interprétation perverse de la notion du droit de l'enfant. Qu'est-ce qu'on peut faire ? Les parents acceptent intrinsèquement qu'un homme ou une femme prenne la responsabilité d'éduquer leur enfant – parce que c'est de ça qu'on parle, on ne parle plus juste d'instruire, on parle d'éduquer. Si les enseignants n'avaient qu'une charge de transmission de savoir et d'instruction, cela impliquerait que les parents seraient disponibles et dévoués à éduquer leurs enfants, ces enfants sauraient donc comment se conduire en classe et en société ; cependant ils n'ont pas le temps de le faire. Ils ne sont pas présents. À six heures du matin, ils se lèvent, font le déjeuner, donnent à manger aux enfants, les habillent en vitesse, les envoient prendre leur autobus ou le métro et partent au travail pour la journée. Les jeunes restent parfois à l'école jusqu'à six heures du soir pour faire leurs devoirs, parce que les parents rentrent tard du travail. Ceux-ci n'ont évidemment pas le temps de s'asseoir avec leurs enfants pour les aider à faire leurs devoirs et à apprendre leurs leçons. Non seulement ils ne prennent pas le temps de le faire, mais avec toutes les réformes qu'ont subi nos programmes d'éducation, ils n'en sont plus capables! Les méthodes sont complètement différentes de ce qu'ils ont eux-mêmes appris à l'école, des années auparavant. Pourtant, quand on divise 12 par 3, c'est censé donner 4, non? Bon, j'exagère, c'est un peu plus loin que tout se gâte.

Alors, avec tout ça, les parents ne prennent plus le temps d'éduquer leurs enfants, et du temps qu'ils auraient pu passer avec eux pour faire leurs devoirs, ni les uns ni les autres ne peuvent plus en profiter. Ça laisse quoi, comme temps de qualité entre parents et enfants? La responsabilité d'éduquer les jeunes revient donc au prof, à la cour d'école, à la rue. Parce que le parent n'a plus le temps. Et, de toute façon, il n'a pas les outils nécessaires.

Il va falloir qu'on rétablisse quelque chose. Qu'on se réveille et qu'on réalise que ça ne marche pas. Nos profs, il va falloir leur donner des droits. Il va falloir leur faire confiance, il va falloir agir sur une base de confiance, ou bien quoi? On va faire comme aux États-Unis, où c'est la police qui éduque les jeunes? Ils ont des caméras partout dans les classes. Il faut passer les détecteurs de métaux et montrer patte blanche avant d'entrer en salle de cours. Ce ne sont plus des écoles, mais des prisons. C'est carrément une politique de la peur. C'est *Big Brother*. On installe des caméras partout dans les rues. Si on ne peut plus faire confiance à personne, si on se dit toujours qu'il est possible qu'un enseignant pète les plombs et provoque une catastrophe… C'est toujours possible, bien sûr. Tout est toujours possible. C'est bien dommage, mais on va devoir vivre avec certains risques. Oui, ça se peut qu'un jour, un prof devienne fou et tue 40 élèves. C'est déjà arrivé. Mais, c'est bizarre, ce genre d'événement semble se produire plus souvent depuis qu'on ne fait plus confiance aux enseignants…

Comment faisait-on il y a 50 ans? À part le fait que les élèves mangeaient des baffes, ça se passait relativement bien. On a créé des lois pour empêcher des choses comme celles-là de se produire, mais ces lois qui protègent les enfants de la violence d'un enseignant abusif ont été mal interprétées et servent maintenant de base pour réguler la dynamique entre profs et élèves. L'élève est intouchable, et le prof a peur de perdre son boulot s'il bouge le petit doigt pour faire régner la discipline. Comment va-t-on gérer ça? Grâce à une politique de surveillance systématique. Et quand quelqu'un s'y opposera, bien sûr, on lui servira un argument de la plus grande logique : « S'il n'y a aucune raison pour laquelle on ne te ferait pas confiance, pourquoi la caméra te fait peur? »

J'ai des amis qui sont enseignants. Un jour, l'un d'eux m'a dit ceci : « Admettons qu'un enfant fait une crise dans la classe et se met à frapper les autres élèves. Je le prends par l'épaule, je le secoue un peu pour essayer de l'arrêter. L'enfant s'arrête, se rend aux bureaux de la direction et se plaint qu'un prof l'a tenu, l'a secoué, l'a frappé. On aura une discussion, l'élève, le directeur et moi. La direction va prendre tout ça en considération. Pour le moment, j'ai encore une carrière. Si la même situation se produit une deuxième fois et que j'interviens de la même manière, je suis dans la merde. C'est fini. Et tout ce que j'ai fait, c'est quoi? Arrêter un enfant qui avait un comportement violent envers un autre élève. »

C'est une chose qui va devoir changer. Et le respect, de toute façon, ça commence à la maison... mais il n'y a plus de maison. La maison, pour les jeunes, c'est un dortoir. C'est un endroit où aller dormir, manger, jouer sur Internet. Et il y a là deux personnes un peu plus grandes qu'eux, qu'ils croisent de temps en temps. Elles paient les factures, font les courses et déposent tout dans le frigo, question de leur permettre de survivre jusqu'à ce qu'ils puissent se débrouiller par eux-mêmes. Est-ce que c'est ça, une famille? Est-ce que c'est ce qu'on a voulu créer?

On ne peut pas parler d'éducation sans parler de famille, sans parler de société. La famille est le noyau de la société, et elle est en même temps son plus fidèle reflet. Bien des choses sont interconnectées. À la seconde où on aborde l'éducation, on doit aborder ces choses. Ce que nos enfants apprennent, ils vont le transmettre à leurs enfants, et ainsi de suite. C'est la responsabilité qu'on a, en tant que parents, de regarder ce qui nous a été transmis et de décider de ce qu'on a envie de transmettre. Et ce travail-là est beaucoup plus long qu'on le pense.

Il est beaucoup plus grand et important qu'on le pense. Il va falloir arrêter de le refiler aux autres et de leur dire : « Allez-y, faites-en ce que vous voulez, moi, j'ai pas le temps ! »

Le gouvernement et les programmes scolaires

Pourquoi nos gouvernements s'acharnent-ils à gérer notre système d'éducation comme ils le font ? Nous avons souvent l'impression que nos écoles sont administrées comme des entreprises. Des entreprises qui sont là pour octroyer des diplômes, et ce, à tout prix. Il y a bien sûr des enseignants qui essaient tant bien que mal de faire leur boulot, mais à l'impossible nul n'est tenu. Bons ou mauvais, le nombre préétabli de diplômés attendus devra être atteint. J'ai l'impression que le système public qu'on a créé cherche à survivre, mais qu'il est voué à l'échec si notre façon de le gérer ne change pas radicalement.

Vous pouvez me dire que j'ai tort, mais on est rendus à combien de programmes scolaires ? On est rendus à combien de réformes ? Et il y en aura combien encore ? J'ai peut-être tort, mais en attendant votre verdict, les parents consciencieux et qui ont le budget pour le faire envoient de plus en plus leurs enfants dans les écoles privées. Là où les programmes choisis ont fait leurs preuves.

Des programmes dits classiques, qui ne changent pratiquement jamais. Les programmes du système public ne sont visiblement pas corrects, puisqu'il faut les changer tout le temps. Des gens vont sans cesse les réformer, et être payés pour le faire. Alors que des programmes existants qui fonctionnent, il y en a. C'est dommage, ce que je dis. Mais quand je regarde ça de loin, je me dis qu'il y a sans doute des raisons pour lesquelles on crée et on réforme des programmes, alors qu'on pourrait facilement choisir un programme parmi les programmes scolaires existants qui ont fait leurs preuves. Peut-être avons-nous un surplus budgétaire pour l'éducation et que les médias ont décidé de ne jamais en parler ? Qui sait ?

C'est sûr qu'en réformant ou en mettant sur pied de nouveaux programmes scolaires, on court le risque de les mettre en application et de constater qu'on s'est trompés sur certains éléments. De là la nécessité de changer à nouveau. Sans compter qu'à la croisée des chemins, la technologie va beaucoup plus vite que nous. On se rend compte qu'on ne peut plus enseigner telle notion, par exemple, parce que la recherche scientifique a démontré que cette connaissance était dépassée. En chimie, en physique, il y a des choses qui doivent changer. Je comprends ces changements-là, qui ne sont en fait que des ajustements. Mais la façon d'enseigner, elle, il me semble qu'une fois qu'elle est adaptée aux âges et aux capacités des élèves, elle ne devrait plus avoir à subir de si grands changements.

À la limite, puisqu'un seul système ne peut pas convenir à tout le monde, on pourrait établir cinq systèmes d'éducation, cinq programmes d'études. Ces cinq programmes seraient adaptés aux types de personnalité. On établirait un examen afin de discerner le type de personnalité de chacun. L'école internationale, par exemple, ce n'est pas pour tout le monde. Mais les élèves qui la fréquentent sont bien là-dedans. L'école privée, avec une rigueur, une discipline, ça ne convient pas à tout le monde. Mais il y a des élèves auxquels cette rigueur convient.

Les alternatives à l'école dite « régulière »

Quand on parle de l'école dite « alternative », il ne s'agit pas d'un seul type d'établissement scolaire. Il y a plusieurs types d'écoles alternatives. Il y a plusieurs idéologies d'écoles alternatives. L'approche Montessori est différente de celle de l'École internationale. Les pédagogies qui y sont employées sont totalement différentes les unes des autres.

Prenons l'exemple de l'école Fine Arts Core Education (FACE), située au centre-ville de Montréal. À cette école, toute la scolarité usuelle est couverte, mais c'est l'art qui prévaut. Mes enfants ont fréquenté cette école, et c'est une école qui réussit. Le taux d'abandon y est très faible. Quand ma fille étudiait à cette école et qu'elle avait une journée de congé, elle pleurait. Elle voulait aller à l'école. Les parents qui aspirent à y inscrire leurs enfants campent devant l'école les jours précédant l'inscription pour s'assurer une place. Je ne sais pas, c'est peut-être un signe ? À moins que ces parents campeurs soient tous des idiots, dont les enfants sont tous des génies ? Il doit y avoir quelque chose de positif à tirer de cette école et de son programme.

C'est une école où il y a de tout. Une centaine d'ethnies différentes s'y côtoient. On y parle français et anglais. Au niveau scolaire, les enseignants n'ont pas le choix, ils suivent le programme qui leur est imposé par le ministère, puisqu'il s'agit d'une école publique. Mais les arts sont mis au premier plan : il leur a donc fallu allonger l'horaire normal. Les élèves finissent plus tard que ceux de la plupart des autres écoles, mais ils veulent quand même aller étudier là !

Les jeunes participent à beaucoup de sorties, ils font du théâtre, ils étudient le cinéma, ils font tous de la musique… La musique fait partie intégrante du programme. Autrement dit, les enfants apprennent à lire et à écrire les mots en même temps qu'ils apprennent à lire et à écrire la musique. Un jour où, par hasard, il me manquait une choriste, j'ai dit à ma fille qui me proposait son aide : « Mais tu ne connais pas les chansons ! Et ce ne sont pas juste mes chansons à moi, ce sont toutes sortes de chansons de toutes sortes d'artistes, et il y en a des difficiles… » Elle m'a simplement répondu : « Bien, donne-moi les partitions ! Papa, ça fait 15 ans que je lis des partitions ! » En secondaire 1, dans ses cours, le prof entrait et disait aux élèves : « Aujourd'hui, on va faire du Verdi. » Il leur distribuait une partition, il jouait au piano un la 440, et il disait : « OK, on y va ! Trois, quatre ! » Les élèves n'avaient jamais chanté la pièce de leur vie. Ils partaient, tout le monde chantait, et c'est tout. Ça faisait des années qu'ils lisaient des partitions ! Pour eux, c'était un exercice de base. Quand un élève du programme public régulier arrive au secondaire, on lui donne un livre et on lui dit : « Prends la page 34 et lis. » L'enseignant ne se demande pas si l'élève sait lire, ou même compter jusqu'à la page 34. À l'école FACE, c'est pareil pour la musique. Et dans ces cours de musique, les élèves abordent rapidement des trucs beaucoup plus techniques, et ils explorent des pièces difficiles, du jazz, du classique.

L'objectif du cours de théâtre, par ailleurs, c'est d'amener les élèves à créer une pièce originale. Ils sont les éclairagistes, les metteurs en scène, les régisseurs, etc. Ils ont écrit la pièce, ils la jouent. Ils font tout. Et pendant l'année, chacun d'entre eux, tour à tour, a occupé chacun des postes : ils ont tous été acteurs principaux, régisseurs, éclairagistes… ce qui fait que, plus tard, ces élèves-là entrent dans le monde et sont en mesure de jeter un œil avisé et compétent sur l'art, mais aussi sur la vie. Parce que le théâtre, c'est quoi, au fond ? C'est la vie.

Le théâtre, la musique, les enseignements particuliers de cette école, tout ça vient changer la perspective de ces jeunes. Et cette école, le gouvernement ne la subventionne pratiquement pas. J'ai participé à un des spectacles-bénéfice pour cette école-là, pour amasser des fonds afin qu'on puisse repeindre les murs. Pourquoi le gouvernement ne lui octroie-t-il que peu de subventions ? C'est une école qui a du succès !

Il n'y a pas que cette école alternative dont le concept soit efficace, il y en a d'autres qui fonctionnent très bien, des écoles publiques qui se débattent comme des diables dans l'eau bénite pour essayer de survivre.

Et les élèves de ces écoles réussissent. Pourquoi on investit temps et argent pour chercher à mettre sur pied de nouveaux programmes scolaires ? Il y en a qui marchent ! Avant d'investir de l'argent pour tenter d'inventer quelque chose, ne pourrait-on pas regarder ce qui fonctionne déjà ? Quelles sont les écoles qui marchent ? Celle-là, celle-là, celle-là... Pourquoi elles marchent ? Qu'est-ce qui fait que ça marche ? Prenons les raisons pour lesquelles ça marche, et construisons d'autres écoles à vocation semblable. Identifions ce qui fonctionne, et reproduisons-le.

Ce qui se produit avec notre système d'éducation, je ne le comprends pas. Je ne comprends pas comment on fonctionne. Et je ne comprends pas pourquoi on ne reproduit pas des façons de faire qui ont fait leurs preuves. Le gros bon sens n'existe plus parce que la bureaucratie l'a mangé tout rond. Pourquoi ? Parce que le système cherche à survivre. On crée des nouvelles *jobs* parce qu'il en faut, il faut que la machine survive. Il faut justifier les excès.

Écoles ou prisons ?

Les bâtiments qui abritent nos institutions scolaires sont un indicateur fort clair de l'erreur dans laquelle notre système éducatif persiste depuis des années. Aujourd'hui, une école secondaire, c'est une grosse prison. Un gros bloc gris, sans fenêtres. On ne voudrait surtout pas que les élèves regardent dehors, ça pourrait les déranger, ça pourrait les distraire. S'il fallait qu'ils voient le soleil ?! Le néon, c'est bien mieux !

On dirait que les gens n'ont rien compris. On construit des écoles destinées à accueillir 3 500 élèves. Il existe des villages, au Québec, de 3 500 habitants! Et il y a des villages de 1 000 habitants! Certaines de nos écoles sont plus peuplées que des villages! Ça n'a aucun sens!

Les statistiques concernant la violence dans les grandes villes sont claires: c'est extrêmement dangereux d'entasser de grandes quantités de gens dans un petit endroit. Qui plus est, de grandes quantités de gens bourrés d'hormones comme le sont les ados! Dans un endroit où il y a 1 000 habitants par kilomètre carré, il y a des problèmes. Dans certaines de nos écoles secondaires, ce sont 3 000 personnes qui s'entassent dans moins d'un quart de kilomètre carré. Ce n'est pas gros, une école! Parfois, 3 000 personnes y vivent et se marchent sur les pieds quotidiennement...

Et notre système est fait comme ça, et les gens qui pourraient y changer quelque chose sont syndiqués, protégés... et confortables en terrain connu. Ils ne bougeront pas. Alors, on part d'où pour changer les choses?

Il faudra que s'opère un changement de mentalité global. D'abord au ministère de l'Éducation, puis au sein du corps professoral et administratif de nos écoles. Il y a bien des têtes qui vont tomber, bien des têtes qui DOIVENT tomber. C'est nécessaire. Et les gens ont peur de tomber, mais ils ne le devraient pas. Parce que, quand on y pense, en tombant, un employé qui se trouve au mauvais endroit risque seulement d'atterrir plus près d'une place qui sera vraiment la sienne.

Répartition des compétences et « surspécialisation »

À l'hiver 2008, Men's Wearhouse a annoncé le déplacement de la Golden Brand, son atelier de confection d'habits pour les détaillants Moores, situé à Montréal, dans le but d'empocher plus de profits en envoyant la production là où les coûts seraient moindres. Cette décision a été prise malgré le fait que Men's Wearhouse ait enregistré 147 millions de dollars de profits en 2007. Ce sont 540 travailleurs qui se sont retrouvés à la rue durant l'été 2008. Et ça a créé tout un tollé.

On entend de plus en plus les gens dire: «En Chine, ils sont riches, ils sont en train de prendre nos *jobs*! Ils fabriquent tout là-bas, et nous, on n'a plus rien!» Ce n'est pas ce qui se passe. Relativisons. On parle d'un pays de 1,3 milliard d'habitants, dont 7 millions vivent à Hong Kong, à un endroit qui effectivement est aussi riche que nous et continue de s'enrichir. Mais 7 millions sur 1,3 milliard, ce n'est pas énorme. Quelque 300 millions de Chinois vivent l'équivalent du rêve américain, à la chinoise. Mais le milliard d'habitants qui reste vit sous le seuil de la pauvreté. Ceux-ci se déplacent en charrette, cultivent la terre... et ils ne sont vraiment pas riches. C'est un pays du «deux cinquièmes du monde»! Ce n'est plus le tiers-monde, c'est le «deux cinquièmes», et même le «trois cinquièmes». La Chine est un pays pauvre, en majorité. Ce n'est pas un pays riche. Les 300 millions d'habitants bien nantis en font un pays comparable au reste du monde en matière de richesse. Mais soyez sûrs que le jour où la moitié des habitants de la Chine sera riche, personne ne pourra plus s'y comparer. Et ce jour n'est pas si loin.

Cependant, j'ai quand même l'impression que tout se rééquilibre sur cette Terre. Ça ne fait pas le bonheur de tous, mais je crois que l'avènement d'un monde plus équitable est tout simplement inévitable. Nous nous dirigeons vers le un. Quand on parle d'aller vers le un, on ne parle pas que de mélange de sang, de mélange de peuples. On parle aussi de mélange au niveau économique, au niveau humain. On parle de remettre les choses là où elles devraient être.

Au Québec, notre système nous permet d'avoir accès gratuitement à l'éducation. Et elle est obligatoire, en plus. Selon moi, le Québec devrait devenir l'école du monde. On a ce qu'il faut ici pour ça. On l'a. On devrait devenir l'hôpital de la planète. On le devrait. On pourrait l'être. On a les infrastructures pour le faire. Si on s'imagine une association de villages sur terre dotés chacun de leur spécificité et qui s'uniraient et s'entraideraient, eh bien, l'école devrait être ici, dans le village du Québec. L'endroit où les gens devraient venir s'instruire, c'est ici. Ensuite, ils pourraient décider de partir ailleurs, ou encore de rester là.

La Terre, justement, étant devenue accessible à tous, on peut aller vivre partout, n'importe où. Si quelqu'un veut vraiment travailler dans une manufacture, qu'il aille là où il y en a! Si c'est ça, *sa job*, son boulot de rêve, si c'est ce que cette personne veut faire de sa vie, si c'est là sa vocation, sa compétence, c'est là qu'elle devra aller. Son boulot va la faire voyager. Un médecin, par exemple, devra aller là où on a besoin de médecins. On ne peut pas être médecin dans un endroit où personne n'est malade. Il faut qu'il y ait des malades. Si un ouvrier veut travailler sur le chantier d'un barrage hydro-électrique, il faudra qu'il se déplace vers un endroit où il y a des barrages hydroélectriques, où les gens ont les moyens d'en construire et, bien sûr, où il y a de l'eau. Aujourd'hui, le nombre fait en sorte qu'au niveau manufacturier, c'est la Chine qui a les employés. C'est là que ça va se faire, c'est tout! C'est juste normal et naturel. On n'a pas à s'en plaindre! Bien sûr, ici, les manufactures ferment. Nous sommes 30 millions, les Chinois sont 1,3 milliard. La Terre se rééquilibre. Ce n'est pas injuste. Ce n'est pas qu'on veuille empêcher les gens de travailler. Si les employés de manufactures tiennent à tout prix à travailler à la confection de vêtements, ils suivront leur boulot. Sinon, ils devront s'adapter à notre temps.

Mais il ne faut pas se leurrer: il ne s'agit pas de la question de ne rien savoir faire d'autre. Ce que je dis à un employé licencié qui se plaint qu'il n'y a plus d'embauche dans son domaine? «C'était prévisible, mais quelqu'un, quelque part, n'a pas fait son boulot comme il faut et n'a pas prévu le coup; résultat, c'est toi qui paies! On savait que le prix du pétrole allait tôt ou tard exploser, mais on n'a pas prévu le coup et c'est toi qui paies! On sait qu'éventuellement l'eau sera une denrée rare, mais on ne nationalise pas; au contraire, on privatise, alors prépare-toi à payer! Bref, mon ami, il va falloir que tu changes de domaine et que tu prennes les rênes de ta démocratie pour exiger d'être traité avec respect. La première étape est assez simple, on en a des écoles, ici. On a le choix de nos métiers. En Chine, les travailleurs n'ont pas nécessairement le choix de leurs métiers. Ici, oui! Et c'est accessible! Instruis-toi et apprends un métier qui va te permettre de gagner ta vie ici à long terme.» Au Québec, dans les prochaines années, on va avoir besoin de combler 700 000 emplois. Mais on n'aura pas besoin de gens qui vont coudre des vestons! On aura besoin de techniciens, d'ingénieurs, de médecins, d'enseignants, mais aussi de plombiers, d'ébénistes. On va avoir besoin de ces compétences parce qu'elles sont nécessaires. Allons vers ça ! Allons vers ce dont on a besoin ! On ne peut pas en vouloir à la Chine de récupérer les usines de confection. Ses habitants n'ont pas encore là-bas des écoles pour tout le monde, et encore moins des écoles techniques et professionnelles pour tout le monde.

Malgré ça, il y a tout de même un million d'ingénieurs qui sortent des universités chinoises chaque année. C'est plus que le reste de la planète !

Alors, pourquoi on n'en profite pas ? Parce qu'au Québec, c'est trop facile. On n'a pas de contraintes. Même si rien ne marche dans la vie d'un individu, ici, le pire qui puisse lui arriver, vraiment, le pire, c'est que le gouvernement prenne soin de lui. Qu'il vive de l'aide sociale et qu'il habite dans un HLM. Le pire qui puisse lui arriver, c'est d'avoir une maison et d'être nourri… C'est clair que ce n'est pas la vie en rose, mais c'est mieux qu'un coup de pied au…

Aujourd'hui, il n'existe aucune raison valable pour que quelqu'un soit dépendant à perpétuité de l'aide sociale. À moins bien sûr d'être invalide, de souffrir d'une maladie mentale ou d'être vraiment inapte à occuper un poste quelconque. Il y en a, des *jobs*, il y a des formations gratuites, et on a besoin de travailleurs. Il ne manque pas d'emplois, ici. Ce n'est pas normal qu'on ait autant de gens qui dépendent de l'aide sociale, de l'assurance-emploi…

Mais on a créé un système qui a besoin de ces gens-là, ce système se protège. Si, demain matin, il n'y avait plus personne en chômage, qu'est-ce qu'on ferait avec les locaux et bureaux de l'assurance-emploi ? Qu'est-ce qu'on ferait avec tous les gens qui travaillent là ? Ils seraient en chômage : c'est un *catch 22*. Qui s'occuperait d'eux ?

En France, le fondateur du Mouvement Emmaüs et de la Fondation Abbé-Pierre pour le logement des défavorisés, un prêtre catholique français, s'appelait Henri Groués (1912-2007). On l'appelait l'abbé Pierre. La légende urbaine dit que ce magnifique homme était un jour sur un plateau de télévision, en compagnie d'un ministre français qui disait : « Vous allez voir, je vais enrayer le crime. » Et l'abbé Pierre de lui répondre : « Vous ne pouvez pas faire ça, monsieur. Vous êtes sans doute au courant que près de 50 % de notre société dépend de la sécurité. Vous savez certainement que la France fabrique et vend des armements. Si, demain matin, tous les bandits de la France décident qu'ils font la grève, on est dans la merde ! On n'aura plus besoin de policiers. Qu'est-ce qu'on fait ? On les met tous à la porte ? Les agents de sécurité, c'est fini. Les fabricants de systèmes d'alarme, on élimine tout ça. Des assurances, pour quoi faire ? Il n'y a plus de menace ! Et c'est une bonne partie de notre économie qui vient de partir en fumée, une économie qui a été construite autour d'un problème. »

Voilà ! Nous avons créé un système où il y a des gens qui sont en chômage, des gens qui se suicident, de la folie, du crime, la contrebande de produits illicites, la peur, l'anxiété, le stress, et tout ça est nécessaire. Nous l'avons rendu nécessaire. C'est la même chose avec l'aide sociale au Québec.

Si nous voulons changer le système, c'est notre mentalité qu'il faut changer. Il ne s'agit pas de remplacer une infrastructure par une autre, analogue. Non. Il faut changer notre façon de voir la vie, notre façon de la penser. Et ça, ce n'est pas simple à faire. Et ça commence par l'éducation. Ça se passe sur plusieurs générations. Ça ne se fait pas d'un coup. Est-ce qu'on veut vraiment faire ça ?

C'est difficile d'être positif, et c'est tout aussi difficile d'être complètement négatif. À voir comment on conscientise les jeunes maintenant, à voir l'implication au niveau mondial, qui est nettement supérieure à ce qu'elle était auparavant, on peut voir un espoir. Des gens cherchent. Il y a des courants généraux. Il y a des courants de pensée générale. On sent qu'il y a un courant de pensée au niveau environnemental, par exemple, qu'il y a une conscientisation. Mais est-ce que ce courant-là a trouvé des chefs de file ? Il faut que des gens incarnent ce courant et comprennent le processus, le procédé que nous devrons appliquer pour arriver à ce changement-là.

Un des gros problèmes auxquels on va devoir faire face, et notre système d'éducation a été en grande partie responsable de ça, c'est qu'on s'est surspécialisés. Ainsi, une personne qui peut comprendre ce qui se passe au niveau environnemental peut le comprendre d'un point de vue global. Mais elle doit aussi comprendre la façon d'envoyer le message médiatiquement. Une autre personne, capable d'envisager et de mettre en œuvre ce qu'il faut faire pour passer ce message au niveau médiatique, ne comprend pas nécessairement ce qui se passe au niveau environnemental. Et une troisième personne a été formée pour comprendre les politiques avec lesquelles le spécialiste des médias et le spécialiste en environnement devront composer. On peut continuer comme ça longtemps. Le type qui comprend la réalité politique internationale il réalisera qu'il est nécessaire de négocier avec les vrais dirigeants économiques afin de mettre des solutions en place. C'est encore un autre gars qui devra s'en charger, une quatrième personne qui aura été formée pour ça. Tous ces gens, bien souvent, n'ont pas fait les mêmes études et ne disposent pas des mêmes informations. Ils ne parlent même pas le même langage, et Dieu sait que le tiers des problèmes de l'humanité est relié à un manque de compréhension. Ils peuvent se compléter et travailler ensemble, mais leurs points de vue divergents peuvent également faire ralentir dramatiquement la recherche de solutions... Cela dit, il y a des gens qui font un travail extraordinaire, tous postes et toutes formations confondus.

Nous avons donc créé des façons connexes de faire les choses, mais qui ne s'imbriquent pas. Il y a eu une époque où, par exemple, vivaient des gens comme Léonard de Vinci. Ce type avait en lui l'amalgame de la connaissance de son époque : il était à la fois peintre, poète, sculpteur, musicien, écrivain, anatomiste, botaniste, inventeur, ingénieur, architecte, urbaniste et philosophe humaniste. Ça n'existe plus, des gens comme ça. Quand on y pense, de Vinci était en lui-même le parfait exemple de métissage des compétences...

En conclusion

Il va donc falloir, au niveau de la connaissance, de l'éducation, qu'on élabore des cours présentant un point de vue global de la situation. Qu'on insère dans nos programmes scolaires des activités et des notions visant à faire comprendre à nos élèves comment fonctionne notre système, et comment fonctionnent les différents systèmes qui sont reliés entre eux, parce que c'est de ça qu'on parle aussi. Comment les faire interagir, comment arriver à globaliser et avoir une vision d'ensemble... Et faut-il globaliser ? Peut-être que ce n'est pas ce qu'il faut. Peut-être qu'il faut que les systèmes fonctionnent de façon connexe. Peut-être faudra-t-il former des gens qui, entre ces systèmes, pourront établir des liens.

Nous avons parlé d'association de villages en termes de territoires, mais il faut aussi parler d'association de villages idéologiques. Ce sont des villages de mentalités, des villages de cursus. Si le «village» qui s'est occupé de l'avancement technologique avait consulté celui qui était en charge de l'environnement, on ne serait pas là où on est. Si ce même «village» s'était préoccupé des implications du progrès techno-logique au niveau social, si le «village» chargé de gérer la politique s'était préoccupé de l'économie, de la société et de l'environnement, on n'en serait jamais arrivés à cette croisée des chemins, et le bateau qui nous emporte tous ne foncerait pas inexorablement vers la rive. Mais on ne l'a pas fait ; on a tout séparé, et chacun a fait cavalier seul. Comment faire pour renverser la vapeur ?

Chapitre 6

IMMIGRATION ET DIFFÉRENCE

Jamais de ma vie je n'ai porté un drapeau haïtien sur moi, non pas que je ne sois pas fier de mes origines, bien au contraire. Je n'ai simplement pas ce patriotisme-là. Je suis plus du genre à penser humain qu'à penser nation, pays, couleur. Parce que je pense que, scientifiquement, politiquement, on devrait tous être rendus là. Ce sont les restes, les résidus d'une pensée, d'une mentalité qui a été trop longtemps véhiculée, que de se croire appartenir à une nationalité, que de se voir d'une couleur, que de penser appartenir à une culture. Nous sommes un tout qui comprend tout, et le tout nous comprend. Vous comprenez?

Un des endroits qui représentent le mieux cette réalité, culturellement, c'est le Brésil. Pas que ce soit une nation parfaite! Il y a plein de failles, là-bas. Mais un Brésilien n'aime pas son pays comme les Américains aiment leur patrie. J'ai l'impression que les Américains aiment leur patrie comme ils aiment leur argent. L'Américain aime l'Amérique comme il aime son *cash*. L'Américain pourrait mourir pour son argent. Il pourrait mourir pour sa soi-disant façon de vivre: «*We're going to die to preserve our way of life. America is a way of life.*» C'est ce qu'ils disent: «*Terrorists are jealous of our way of life.*»

Le patriotisme américain, c'est beaucoup plus une fidélité à ce que la patrie peut nous donner qu'à la patrie elle-même. Et c'est une fidélité à ce que la patrie représente. C'est quoi, le *way of life* américain? C'est le capitalisme sauvage? *We can all make it in America!* En réalité, bien peu de gens ont accès à ce *way of life* dont ils sont si fiers. Beaucoup d'appelés, très peu d'élus. Et si on extrapole dans cette direction-là, les États-Unis sont sur le point de devenir ce qu'on appelle un pays du tiers-monde. Très peu d'élus. Une grande majorité pauvre, et une petite minorité très, très riche. Aux États-Unis, ce sont les *lucky few* qui contrôlent, ce sont les pétrolières, qui sont des conglomérats, de très grosses machines. Ce sont les médias qui jouissent d'un pouvoir sans précédent. Les banques et compagnies d'assurances qui imposent des intérêts dignes de n'importe quel *shylock*... Et ces *lucky few* sont en train de deve- nir *fewer and fewer*. C'est un peu comme ce qui s'est passé ici, au Québec, avec toutes ces compagnies qui se sont unies afin de gagner en puissance, afin d'assurer le monopole et bien sûr de pouvoir compétitionner avec les plus grands, au niveau des médias, par exemple. Ça se produit partout. Des compagnies cinématographiques s'unissent pour n'en faire qu'une seule, énorme. Les studios Universal, au fil du temps, sont devenus une grosse machine. Sony aussi, la Warner... Tout le monde s'unit et on brasse de très grosses affaires, mais, à la base, il n'y a plus qu'une seule grande entreprise. Le *way of life* américain, c'est économique, et la façon dont c'est organisé est simple : ceux qui contrôlent l'économie contrôlent le pays. Et c'est ce que les Américains aiment de ce pays-là. Ils aiment leur pays comme ils aiment leur argent.

Au fil de mes voyages au Brésil, j'ai peu à peu découvert que les Brésiliens, pour leur part, aiment leur pays comme ils aiment leurs enfants. Ce n'est pas la même chose. Aimer son peuple comme on aime ses enfants, c'est une tout autre façon de vivre. Moi qui arrive d'ailleurs, je peux aimer ce peuple qui n'est pas le mien comme j'aime mes enfants. Parce que l'attachement que je peux avoir pour un enfant, en tant qu'humain, n'est pas l'attachement que je pourrais avoir pour de l'argent. Si un enfant traverse la rue devant moi et que je vois une voiture arriver, je risque de saisir l'enfant pour l'écarter du chemin. Mais admettons que je vois, je ne sais pas, qu'une compagnie est en train de perdre des actions et qu'elle va se retrouver en faillite. Je me présente au magasin, et je constate que ça me coûte plus cher d'acheter là qu'ailleurs. Eh bien, je n'achèterai pas. Je ne vais pas rendre ce service-là à un inconnu. Mais je vais toutefois sauver son enfant s'il est en danger. Il m'importe peu de savoir de qui est l'enfant que je viens de sauver. Vous saisissez la nuance ? C'est le point de vue humain qui fait toute la différence.

Donc, je peux aimer une patrie qui n'est pas la mienne comme j'aime mes enfants. Je n'ai pas besoin d'être originaire de cette patrie pour avoir le réflexe de préserver la vie de ses enfants. Je peux être originaire de n'importe où, mais je commence à appartenir à une patrie dite étrangère lorsque je réalise que l'amour que ses gens accordent à leur patrie est un amour humain que je partage aussi. L'amour que les habitants locaux accordent à leur argent, je peux, à la limite, l'éprouver pour mon argent à moi, mais pas pour le leur.

Ainsi, je peux me sentir Brésilien dès mon arrivée au Brésil, et avoir envie de porter un drapeau brésilien sur moi...

Je ne peux pas expliquer précisément ce qui, au Brésil, contribue à créer cette atmosphère. Je n'ai pas fait d'études là-dessus. Mais, je le répète, je ne connais pas d'autre pays comme celui-là. Dans ce pays, au moment d'un championnat de foot, on peut fermer la Bourse. Au temps du carnaval, tout s'arrête. C'est le carnaval, c'est le temps de s'amuser, on se laisse aller. C'est une mentalité, c'est une idéologie. On parle d'un pays où le patron d'une grosse compagnie, un homme marié qui a des enfants, peut se retrouver en pleine rue, déguisé en fille et portant un masque, à se mêler aux gens des *favelas*. On ne voit pas ça ici ! La notion de castes et de classes, si elle existe, peut être oubliée pour un temps. On parle d'une autre forme de mentalité, d'une autre forme de perception de la réalité.

Il y a bien sûr des inégalités. Le Brésil est un pays en développement. Et ses habitants sont nombreux. Par contre, culturellement, ils ont une force immense. Dans combien d'endroits dans le monde la « mère patrie », qui est ici le Portugal, est influencée par la culture de sa colonie, donc, ici, par la culture brésilienne ? Les Portugais aiment l'accent des Brésiliens. Ils regardent les *novelas* (téléromans) du Brésil. La musique la plus populaire au Portugal, c'est la musique brésilienne. Comme si c'étaient les enfants qui transmettaient des connaissances à leurs parents... Ils sont culturellement à ce niveau. Pourquoi ? Parce qu'il y a eu de nombreuses vagues d'immigration de Portugais qui y ont introduit des esclaves d'Afrique noire, des Asiatiques, des Japonais, par exemple, qui sont arrivés là il y a une centaine d'années, des Chinois qui ont débarqué à peu près en même temps, des Allemands, des Italiens, des Africains du Nord, des Hindous, etc. Et tous ces gens-là se sont mélangés à cet endroit-là. On peut y rencontrer un Hindou mélangé à un Japonais, qui a pour sa part été mélangé à un Noir et à un Amérindien... Quatre-vingts pour cent de la population a du sang noir, de générations très rapprochées. En fait, on a tous du sang noir, de toute façon, point.

Le Brésil devrait être un modèle pour le reste de la planète. Quand le président d'un pays dit : « Je fais le choix de ne plus vous vendre de riz. Je ne vous en vends plus, parce qu'il nous en faut », comme on en parlait au premier chapitre, pour moi, c'est une leçon. C'est une façon de penser qui est autre. Quand le gouvernement d'un pays décide d'arrêter la Bourse pendant le championnat de football, ça peut sembler anodin, mais ça ne l'est pas. Ça veut dire que, pour lui, profiter de toute une journée pour se réjouir, juste pour s'amuser dans une partie de foot, c'est plus important que la Bourse. Ça dit énormément, ça, sur une société.

Même s'il y a encore de la pauvreté, même s'il y a la drogue, même si plein de choses sont corrompues, on sent qu'un changement est en train de s'opérer là-bas, et ce changement-là risque d'être assez profond. Ça peut prendre du temps, mais on sent que le Brésil s'en va vers un changement très important. Chez les gens, on sent qu'il y a une transformation qui s'opère. La volonté d'apprendre est palpable au Brésil et la promotion du savoir est omniprésente, dans ce peuple-là : ses gens s'instruisent, ils apprennent... Ils connaissent leur histoire, eux. Ils connaissent leur passé. Ils n'ont pas peur de dire : « Nous, au Brésil, on est pluriethniques. » Au contraire, ils en font une fierté ! « On est de partout ! clament-ils. Au Brésil, on est l'humain. »

Sur leur drapeau, c'est écrit : « Ordre et progrès ». Pas de croix, pas de religion. Sur le drapeau, les étoiles, le ciel. Ça veut dire : « On est de la poussière d'étoiles. On vient de là, et c'est là qu'on s'en retourne. C'est de l'ordre et du progrès. Il va falloir s'ordonner et il va falloir progresser. Il faut changer, et il faut accepter le changement, accepter que les choses bougent. » C'est ça qui est en train de se passer là-bas. Je ne dis pas que c'est l'éden. Mais on sent que c'est un des endroits où les changements sont plus palpables.

Le Brésil au Québec ?

Ainsi, au Brésil, tout le monde est mélangé, et la population s'homogénéise au fil du temps. Est-ce envisageable pour le reste du monde ? Je crois que c'est possible. Et surtout souhaitable. Le métissage, c'est le futur de l'humanité. Ce n'est pas que souhaitable, c'est essentiel. À Montréal, c'est pas mal ce qui se produit en ce moment. À l'école Saint-Luc, par exemple, 104 ethnies différentes cohabitent.

Alors, pourquoi on se pose encore des questions d'accommodements ? On se pose des questions parce qu'on se trouve dans une situation qu'on ne comprend pas. C'est correct de se poser des questions, c'est normal. Et dans le système qu'on a créé, à cause de notre façon d'évoluer dans ce système, il y a de grandes questions à poser. Parce qu'on est confrontés, entre autres, à la religion. On est confrontés à des différences dites culturelles, dites de mentalités, et on n'a pas pris les dispositions nécessaires pour que notre façon de vivre soit respectée. Et on a peur de les prendre. On a peur ! Il y a des choses que je peux dire, parce que ma peau est noire, qu'un Blanc n'oserait jamais dire. Pourquoi ? C'est totalement absurde, mais c'est une réalité.

Faisons un petit exercice de conditionnement. Vous marchez dans la rue et vous voyez un individu à la peau noire avancer vers vous. Il porte un t-shirt sur lequel il est écrit : « Je suis fier d'être Noir. » Qu'est-ce que ça signifie pour vous ? Vous pourriez avoir une réaction de premier niveau. Ça veut dire : « J'aime ma peau noire. » Ça peut ne rien vouloir dire d'autre, parce que vous ne connaissez pas ce type. Mais ça peut aussi vouloir dire que malgré l'histoire, l'ostracisme, le racisme, malgré le fait qu'on ait amoindri les Noirs au point de vue historique, malgré tout ça, ce type, il connaît l'histoire, il sait qui il est et il en est fier. C'est super !

Parfait. Je vous pose la même question à l'envers. Un Blanc porte un t-shirt sur lequel il est écrit : « Je suis fier d'être Blanc. » Je suis prêt à parier que vous vous dites automatiquement que ce type est raciste.

Je vais vous dire, moi, ce que je pense de ça. Les deux sont aussi cons l'un que l'autre. Parce que nous sommes des humains. Nous ne sommes ni des Noirs, ni des Blancs, mais des humains, point. Les différences dites raciales, c'est du vent.

Il y a UNE race. Il ne peut pas y avoir de différences raciales s'il n'y a qu'une seule race.

Le jour où on réalise que nous sommes tous des humains, on ne peut pas dire: «Je suis fier d'être Blanc.» Parce que le concept même de Noir et de Blanc n'existe plus.

Ainsi, le Noir qui porte un t-shirt proclamant sa fierté d'être Noir évoque tout de suite esclavage, défaitisme, ostracisme, marginalisation. Et le Blanc? On pense racisme, Ku Klux Klan, néonazisme. Ce que j'essaie d'illustrer à l'aide de cet exercice, c'est que si un Blanc vous disait exactement la même chose, vous lui répondriez obligatoirement: «Non, tu ne peux pas dire ça. En disant ça, tu enlèves au Noir la légitimité de son histoire. La légitimité de son passé. La légitimité de reconnaître que le racisme lui a causé des souffrances...» Ainsi, je peux dire des choses qu'un Blanc n'a pas le droit de dire. La seule raison pour laquelle on refuse au Blanc ce droit, c'est parce qu'on nous a programmés, conditionnés à croire qu'il était incorrect pour un Blanc, un «choyé» de l'histoire, de s'exprimer de cette manière.

Il est interdit aux Blancs de dire publiquement certaines choses parce que s'ils le font, ça fait d'eux des racistes. Ce n'est pas la réalité, mais c'est ainsi qu'on les percevra. «Lui, il a le droit de le dire parce qu'il est Noir. Il ne peut pas être raciste, il est Noir.» Voyons donc! Le pays le plus raciste que j'ai vu dans ma vie, c'est Haïti. Je suis né là, et quand j'y suis retourné, des années plus tard, savez-vous comment on m'a appelé en descendant de l'avion? Blanc! J'avais des *dreadlocks* longs jusqu'au bas du dos. Et on m'appelait Blanc!

J'y suis allé, avec un de mes meilleurs amis, qui est comme un frère pour moi, l'un des meilleurs bassistes du Québec. La personne qui vient me chercher à l'aéroport, c'est un Noir comme moi. Il me regarde, il me serre la main et me dit: «Bonjour, monsieur Mervil, je suis bien content de vous voir.» Puis, il se retourne vers mon ami et lui dit: «Tu prendras les valises.» Pourquoi? Parce que mon ami est Noir, mais qu'il est beaucoup plus foncé de peau que moi. C'est quoi, ça? On en est au racisme de teinte de peau! Ça revient à dire: «Tes cheveux sont plus frisés que les miens. Les miens sont plus droits que les tiens. Ton nez est plus aquilin que le mien. Tu as des traits plus négroïdes que les miens.» Mais c'est de l'imbécillité instruite ! Les gens doivent comprendre qu'une fois qu'on entre dans cette connerie-là, ça n'arrête jamais. Le nazisme, c'est ça ! Dans cette doctrine, on persécute quelqu'un qui serait d'ascendance noire dans une proportion d'un seizième. Ça ne se voit pas dans les traits du visage, une proportion d'un seizième ! On se dit que ceux-là sont les plus dangereux. Parce qu'on ne les voit pas, justement. Parce qu'en se fondant ainsi dans la masse, ils pourraient fort bien se mêler à nos mignons petits-enfants blancs et, éventuellement, leur faire des enfants métis. Danger ! Horreur et damnation !

Il est définitivement temps que cesse ce genre de niaiserie. Il nous faut réaliser que nous sommes des humains, un point c'est tout. À partir de ce moment-là, nous réaliserons également que certaines décisions auraient dû être prises depuis longtemps.

Incompatibilité historique : quand la sauce ne prend pas

Aujourd'hui, le voyage est devenu beaucoup plus accessible. Prendre l'avion, c'est comme prendre l'autobus. Tout le monde peut voyager. On octroie des permis aériens, on octroie des visas, on peut se promener à peu près comme on veut, où on veut. Mais attention. Lorsqu'on se retrouve confrontés à des gens issus de certaines parties du monde, il peut arriver que l'on soit, disons, historiquement incompatibles. Les humains de partout, d'un point de vue historique, ne sont pas tous au même niveau, ne sont pas tous au même point. Au niveau de nos cultures, on n'est pas au même endroit. Au niveau de nos mentalités, on n'est pas au même endroit. Cependant, grâce à la technologie, nous pouvons tous nous rencontrer. C'est génial : à long terme, nous finirons très certainement par nous rejoindre. Cependant, le court terme n'est pas simple à gérer. Il y a et il y aura, pour un certain temps, des frictions de divers ordres : culturel, politique, social et autres. Parce que malheureusement certaines personnes auront tendance à percevoir ces différences comme des carences. On ne peut pas regarder l'autre et décréter qu'il s'agit d'un arriéré. Il n'est pas arriéré : il se trouve simplement, relativement à soi, à un endroit différent de la ligne du temps. Un endroit que notre peuple et d'autres ont déjà traversé, ou traverseront plus tard.

On peut entendre certains dire : « Les Arabes, ce sont des sauvages ! Dans les marchés publics, ils coupent la main des voleurs ! » Pourtant, on l'a fait aussi au Québec, en France et ailleurs dans le monde, à une autre époque. Nos mœurs et nos habitudes de vie en société ont changé. Relisez votre histoire ! Au début de la colonie, si quelqu'un volait, on lui coupait la main. Quand un prisonnier s'évadait, s'il était attrapé, on lui étampait le visage au fer rouge ! On lui coupait les oreilles ! Ça fait partie de l'histoire de la France, du Québec, de l'humanité. Certains peuples dits arabes sont donc à un endroit dans l'histoire où nous nous sommes aussi trouvés, à une autre époque. Ça veut dire quoi, ça ? S'ils passent par le même chemin, peut-être arriveront-ils un jour là où d'autres peuples sont aujourd'hui ! C'est simplement qu'ils n'y sont pas encore. Nous n'avançons pas tous à la même vitesse dans tous les domaines. Le monde tend à s'uniformiser, mais c'est un phénomène, il me semble, assez récent et qui est intimement relié aux dernières avancées technologiques contemporaines. Certains ont décidé d'aller à contre-courant et de retourner en arrière, entre autres les États-Unis avec Guantánamo, où le gouvernement états-unien séquestre des citoyens américains et autres dans le non-respect des droits de l'homme.

Voyez dans vos manuels d'histoire les photos représentant Marguerite Bourgeoys. La plupart des Québécois à qui on rappellerait que les femmes d'ici ont porté le voile répondraient : « Ah, les femmes voilées ! Pas capable, moi, le voile ! » Eh bien, il y a seulement un siècle, les communautés religieuses de femmes étaient nettement plus peuplées qu'aujourd'hui. Les grands-mères des Québécois d'aujourd'hui les ont vues, les femmes voilées. Elles ont vécu avec elles, il y en avait partout au Québec.

C'étaient des religieuses, me direz-vous. Elles n'étaient pas voilées pour les mêmes raisons que les femmes qui portent le voile aujourd'hui… Mais, pensez-y : ces femmes se voilent aussi à cause de leur religion. Et le port du voile aujourd'hui demeure une forme d'exclusion. Il permet d'exprimer des choix, d'indiquer une distinction. C'était la même chose pour les religieuses du début du xxᵉ siècle. Ce qu'elles disaient grâce à leur costume, c'était : « Moi, je suis mariée à Jésus. Je me suis donnée à Dieu. » C'était leur croyance, et elles voulaient l'extérioriser. Elles l'extériorisaient par le foulard, par le voile, par le vêtement.

Il n'y a rien que les autres sont en train de vivre sur la planète qu'on n'a pas vécu. Il n'y a rien que les Pygmées vivent dans la jungle amazonienne que nous, on n'a pas vécu. Rien. Le grand changement, c'est qu'on peut tous se rencontrer maintenant. Quand on rencontre un type qui débarque d'Amazonie, on doit le respecter. On doit respecter l'endroit où il est. Mais on ne peut pas lui permettre de vivre ici comme il vivait là-bas. On ne peut pas admettre qu'un homme, quel qu'il soit, dise : « Si tu regardes ma femme, je vais te tuer », ou encore qu'il oblige sa femme à marcher cinq pas derrière lui. Pas ici ! Qu'il le fasse dans son pays d'origine s'il y tient, mais pas ici. Quand je vais chez lui, je respecte ses mœurs. Alors, quand il vient s'installer là où prévalent d'autres mœurs, il doit aussi les respecter.

Ces situations, ces conflits et cette confusion, nous en sommes responsables. Nous n'avons pas su instaurer plus tôt des règles à suivre pour prévenir les débordements. Nous ne nous sommes pas empressés d'instruire les immigrants sur la façon de vivre à laquelle ils devraient se conformer s'ils venaient s'installer au Canada. Nous leur avons menti, nous les avons trompés et nous l'avons fait à plusieurs égards. Nous avons menti par exemple en disant aux gens : « Venez au Canada, vous allez être bien au Québec, c'est bilingue, c'est super, on a besoin de vous. Vous avez un diplôme ? C'est encore mieux ! On vous laisse entrer ! » Et au moment où les immigrants arrivent, on leur dit : « Ah, votre diplôme ne vaut rien ici, il vous faut trois années d'études supplémentaires pour avoir les équivalences nécessaires. » Nous n'avons pas toujours pris les bonnes décisions, nous avons souvent fait de mauvais choix, nous avons transmis une information qui n'était pas forcément la bonne, nous avons menti en toute connaissance de cause à des gens qui n'étaient pas de mauvaise foi. Des gens qui cherchaient à s'installer là où ils pouvaient espérer un avenir meilleur pour leurs enfants. Ils arrivent donc, s'installent et se mettent à vivre comme ils le veulent, parce qu'on leur a dit qu'ils étaient libres, qu'ils pouvaient faire ce qu'ils voulaient. Et après on se plaint ? Voyons donc !

Je suis heureux de vivre au Québec, de vivre comme on vit. Mais il y a certains comportements que je ne peux supporter. Je sais bien que c'est la façon de faire dans d'autres pays, mais ici, ça n'a pas sa place. Et je n'aurais aucun problème à dire à un immigrant borné : « Si t'es pas content, change de pays. » Un Québécois blanc dirait la même chose et on hurlerait au racisme. Je le dis et ça passe bien. Je dis bien : « Change de pays » et non : « Retourne chez toi. » Parce que je considère que la Terre est la demeure de tous les humains, même les plus idiots d'entre nous.

Quand je prononce des paroles comme celles-là, je le fais en tant qu'humain. Ce qui m'enrage, ce n'est pas que le type soit Arabe, Haïtien, Allemand, Indien, etc. Je m'en fous, il pourrait venir de n'importe où ! C'est un humain que je vois. C'est un humain qui, dans sa culture, dans sa façon de faire au niveau religieux, à tous les niveaux, se trouve à un point précis de son évolution. Je suis capable de reconnaître ça, de comprendre ça, sauf qu'il y a des éléments de sa pensée, de sa façon de voir et de faire, qui ne sont pas compatibles avec notre façon de faire ici. Je peux aussi comprendre que l'immigrant se batte pour obtenir de plus en plus de droits, au niveau religieux par exemple. Parce que c'est notre faute, nous aurions dû être clairs dès le départ. Mais je ne suis tout de même pas d'accord avec sa façon de faire.

Il y a des choses, au niveau culturel, qui ne peuvent pas se métisser. Il y a des choses qui ne peuvent cohabiter, une adaptation est incontournable. Il faut que l'immigrant s'adapte à sa terre d'accueil. Il faut qu'il soit capable d'admettre qu'ici, certaines choses ne sont pas comme dans son pays d'origine et ne le seront jamais. Quand elles se rendent dans les pays arabes, les Européennes, les Américaines, les Occidentales portent le voile. C'est la loi, là-bas. Elles s'adaptent. Quand elles rentrent chez elles, elles l'enlèvent. On ne demande qu'un simple retour de politesse aux autres peuples de la Terre, c'est comme ça. Qu'est-ce que vous voulez, c'est la vie, hein ? De toute façon, nous nous dirigeons vers une homogénéité planétaire. C'est une question de temps, mais aussi de survie.

Nous avions un seul courant religieux dominant ici, c'était le courant chrétien, et on a tout fait pour devenir une société laïque. Aujourd'hui, nous le sommes et elles nous arrivent de partout, les religions. Qu'est-ce qu'on fait ? On s'est battus pendant 200 ans pour devenir laïquess, pour être affranchis de cette mentalité sectaire et religieuse, et là, on va accepter sans rien dire que 50 nouvelles religions viennent faire la loi ? Elles vont venir gérer nos institutions laïques, nos écoles, les gens qui les fréquentent, etc. ? C'est totalement illogique ! Elles vont ramener ici une mentalité d'il y a 300 ans. Ce n'est pas qu'on soit contre les gens pour qui ces religions sont importantes : ce qu'ils vivent présentement, on l'a aussi vécu. Mais on ne veut plus retourner là, c'est tout.

Tout ça, il faut l'exprimer. Il faut le dire. Dans le cadre de mon émission de télévision *Le 3950*, quand j'ai reçu chez moi, à ma table, l'imam Saïd Jaziri, je lui ai tenu précisément ce discours. Je lui ai dit qu'ici, au Québec, on en a coupé des bras, qu'on a marqué des gens au fer. Il était très surpris… Mais ce qui m'a le plus impressionné, c'étaient mes autres invités assis autour de la table, tous des Québécois de souche, qui faisaient les yeux ronds. Parce qu'eux non plus n'avaient pas fait le rapprochement.

Comme on l'a vu, l'histoire qu'on enseigne, c'est l'histoire du vainqueur. On ne veut pas enseigner à nos jeunes que nous avons été méchants, qu'il y a eu, au cours de notre histoire, des éléments qui nous rapprochent des comportements que nous condamnons aujourd'hui. Mais si on savait, on accepterait différemment ces réalités. On les verrait différemment. On comprendrait. Si on savait, on élaborerait des lois pour éviter que ces comportements se reproduisent. Et ce serait fait de façon naturelle, on ne se serait même pas posé la question. Ça serait aussi évident que de mettre le pied gauche devant le pied droit pour avancer. Ainsi, on pourrait dire : « Ces gens sont rendus là. Nous sommes déjà passés par là, on sait ce que c'est. On connaît notre histoire. On ne veut plus de ça. Ici, les femmes sont les égales des hommes, on s'est battus pour obtenir cette égalité. On ne veut pas reculer dans le temps. » Alors, qu'est-ce qu'on n'a pas compris ? Comment se fait-il qu'on ait eu besoin au Québec de mettre sur pied une commission pour y voir clair ? Magnifique exercice démocratique, et ce, que l'on soit d'accord ou pas avec les résultats. À ma connaissance, c'est la première fois dans l'histoire de l'humain qu'une commission de ce genre aborde ce sujet précis (les accommodements raisonnables) et de façon si démocratique. Bravo, Québec! Cette commission sur les accomodements raisonnables nous a fait voir ce que nous sommes devenus. Les pures laines sont bridées, juives, bronzées, blondes, de toutes sortes!

On aurait dû prévoir que la situation qui a rendu pressante la tenue d'une telle commission tournerait ainsi, puisqu'on a les outils pour le faire. L'histoire est le meilleur instrument de prédiction. L'outil, c'est le passé. Mais il faut admettre la vérité. Il faut voir le monde avec des yeux d'humain, avec un regard universel. On ne peut plus juste se percevoir en tant que Québécois. On doit se percevoir en tant qu'humains.

S'il y a une chose qui révolutionnera réellement le monde, c'est changer notre façon de voir le monde. Changer notre point de vue. Réaliser que notre point de vue est erroné : « Tu n'es pas un Noir, tu es un humain. » Mais quand ça fait 400 ans qu'on dit : « T'es un nègre, t'es un Noir, t'es un ci, t'es un ça, t'es une Blanche, t'es juste une Indienne, une sauvageonne », c'est difficile de changer de perspective… Mais notre perspective est fausse. Nous sommes des êtres humains, point. Alors, voyons le monde d'un point de vue humain.

À la seconde où on se met à voir les choses d'un point de vue humain, on comprend que ce que vivent les Noirs d'Afrique nous concerne. Que ce que vivent les Chinois nous concerne, parce que ce sont des humains eux aussi. Ils sont moi. Je suis eux.

D'autres ont tenu, bien avant moi, un discours comme celui-là. Et on a bâti des religions sur les bases de ce discours. Mais ce que je dis n'a rien de religieux. Ce que je propose n'a rien d'un dogme. C'est une réalité, tout simplement.

« God is with us… »

Quand on étudie l'histoire, on constate que ce qui a été le plus réglementé au fil des époques, c'est la manière dont on utilise notre conscience. Ce rôle a toujours été tenu par l'Église. Et qu'est-ce qui favorise son retour? La religion. La plupart des guerres dont on fait la promotion – parce que c'est pratiquement comme ça, aujourd'hui : on fait la promotion des guerres comme on fait celle des modes –, ce sont des guerres de religion. En tout cas, elles se déroulent sous le couvert de la religion. Est-ce qu'on peut parler de terrorisme sans parler de l'islam ? Est-ce que George W. Bush aurait pu entrer en guerre avec l'Iraq sans dire : « *God is with us* » ? La religion est devenue un outil promotionnel.

L'Amérique a un problème avec la Chine. De qui on entend parler ? Du Dalaï-lama. Bush, en fin de mandat, a un problème : son parti veut demeurer au pouvoir et il ne sait pas comment y parvenir. Qu'est-ce qu'on fait ? On fait venir le pape. Ça peut sembler gros, ce que je dis, mais les gens ne sont pas idiots. L'équation est assez facile à résoudre. Ce n'est qu'un jeu de manipulation.

Pour ma part, je suis athée. Albert Einstein a dit de Dieu qu'il représente le plus grand prétexte à l'erreur. « Dieu n'est pour moi rien de plus que l'expression et le produit des faiblesses humaines. » Ce n'est pas moi qui le dis…

Londres – Une lettre manuscrite d'Albert Einstein, dans laquelle le scientifique jugeait la Bible « très puérile » et considérait Dieu comme le produit de la faiblesse humaine, a été vendue à 207 600 £ (l'équivalent de 405 000 dollars canadiens) aux enchères hier soir à Londres. [...] Bloomsbury Auction, qui organisait la vente, a déclaré que l'acheteur était un collectionneur étranger nourrissant « une passion pour la physique théorique », qui a déboursé 25 fois le montant de l'estimation. Albert Einstein avait adressé cette missive en allemand en janvier 1945, un an avant sa mort, au philosophe Eric Gutkind. Il y écrivait notamment : « Le mot de Dieu n'est pour moi rien de plus que l'expression et le produit des faiblesses humaines. Et la Bible, un recueil de légendes, certes honorables, mais primitives, et qui sont néanmoins très puériles. » (Source : Associated Press, mai 2008)

Voilà ce que pensait réellement de la religion un des plus grands esprits de notre temps. Et malgré tout ça, une quantité incroyable de livres ont été écrits dans le but de justifier l'idée de Dieu à travers la pensée d'Einstein. C'est dire à quel point on veut que Dieu existe !

Moi, je ne peux pas dire que Dieu n'existe pas, comme je ne peux pas dire qu'il existe. Mais justement, comme je ne le peux pas, il m'est impossible de forcer quelqu'un à avoir la foi. Je n'ai pas à partager la foi d'un autre non plus. Les gens peuvent penser ce qu'ils veulent : ça les regarde. Je respecte ça. Je respecte les gens. Mais je ne suis pas obligé de faire comme eux, ils ne peuvent pas me forcer à vivre comme ils vivent.

Pour moi, la religion se résume à une seule phrase : j'ai raison, tous les autres ont tort. Si deux personnes se basent sur la religion pour discuter d'un problème, elles ne parviendront jamais à avoir une discussion rationnelle. « J'ai raison parce que mon Dieu a dit ça, et donc je me justifie en interprétant ses paroles à mon avantage. » Elles n'attaqueront donc jamais le cœur du problème.

Et quand deux personnes se retrouvent comme ça, face à face, il ne peut se produire qu'une seule chose : la guerre. Et c'est ce qui se passe. À partir de ce constat, il faut bien admettre que s'il est un ennemi qui soit commun à tous les humains, c'est bien la religion. La religion en tant que repaire où se cacher, où se tenir à l'abri de la réflexion et de l'évolution. L'introspection n'a rien à voir avec le fait religieux, ni la bienveillance, le respect, la compassion, l'amour, etc.

Personne n'a besoin d'un livre pour lui dire quand il fait bien ou quand il fait mal. Ma race est la meilleure dans tout ce qu'elle fait de bien comme de mal.

Il va falloir qu'on apprenne à se responsabiliser. C'est difficile pour des humains, ça. C'est une des raisons pour lesquelles, quand on découvre que Bush a triché pour se faire élire, on laisse aller. Si on admet qu'il a réussi à gagner en trichant, on admet du même coup que notre système ne fonctionne pas, et si notre système ne fonctionne pas, il va falloir prendre la responsabilité de le changer. Et on ne veut se responsabiliser ni en ce qui concerne notre système ni en ce qui concerne nos mentalités. De là l'existence d'un dieu déresponsabilisant et confortable qui a si bon dos.

Les alternatives

Au Brésil, la religion la plus répandue est le candomblé, qui est une religion animiste. Les Brésiliens sont carrément vaudouisants. On retourne aux croyances des autochtones, on retourne à la nature. C'est une autre façon de voir. Le contrôle exercé sur les adeptes n'est pas le même que dans la religion judéo-chrétienne, par exemple, dans laquelle les principes de péché, châtiment et récompense sont très présents. Dans le candomblé, le contrôle se trouve dans le dogme, entre autres, mais surtout dans les rituels. Des offrandes font partie de ces rituels. C'est ainsi que les adeptes signalent aux divinités qu'ils leur sont toujours fidèles.

Il n'existe pas vraiment de religion où aucun contrôle n'est exercé sur les fidèles. Le bouddhisme pourrait en être un exemple, mais il s'agit plus d'une philosophie que d'une religion. Il n'y a pas de dieu dans le bouddhisme. C'est probablement le dogme duquel ma propre pensée se rapproche le plus. Pour vous dire à quel point les gens sont parfois mal informés, j'ai déjà entendu un journaliste d'ici parler de la « théocratie tibétaine ». « Théo- » est un préfixe qui signifie « dieu ». La religion dominante au Tibet est le bouddhisme... dans lequel il n'y a pas de dieu... Le pouvoir gouvernemental tibétain ne peut donc pas venir d'un dieu.

La religion bouddhiste, bien que sa philosophie soit structurée, est claire là-dessus : la pratique du bouddhisme est personnelle. L'adepte peut méditer où il le veut, comme il le veut. Il va dans la forêt, dans le bois, chez lui, dans sa chambre, couché, assis, debout, à l'envers. Mais ce n'est que lui avec lui-même, parce que le but est de s'améliorer soi-même, de retourner consciemment à l'essence de son être. L'adepte cherche à devenir Bouddha, il cherche à se surpasser. Et le responsable de tout, c'est lui-même. La religion de la responsabilisation, c'est celle-là. Si quelque chose se passe autour de l'adepte, quelque chose de mal, quelque chose de pervers, il doit aller chercher en lui-même. C'est là que se trouvent la source du problème ainsi que les outils pour le régler.

S'il fait des erreurs, c'est à lui de réparer. Et c'est correct ! Il a le droit de faire des erreurs ! Mais quand il fait une erreur, eh bien, il doit l'admettre et apprendre, encore et encore, jusqu'à ce qu'il n'ait plus à faire cette erreur-là, parce qu'il aura dépassé ça. Comme dans la vie de tous les jours. Si un enfant touche à quelque chose de chaud, il se brûle. Il n'y touchera plus. Il a appris ! Et un jour, il dira à son propre fils : « Ne touche pas à ça, c'est chaud. » S'il est intelligent, il saura ce que chaud veut dire, et il n'y touchera pas. S'il est moins intelligent, il va y toucher et il va apprendre. Et il n'y touchera plus. Il sera devenu plus intelligent en se brûlant !

En conclusion

En tant qu'humains, nous commençons à nous être suffisamment brûlé les doigts. Des changements positifs sont en train de se passer sur la Terre. Mais tant que nous nous accrocherons à nos différences, à toutes ces choses qui nous opposent les uns aux autres, nous ne parviendrons pas à marcher ensemble vers un but commun, vers un changement positif.

J'aimerais, à travers ces questions que je me pose, vous faire voir que les mouvements incessants qui se produisent sur notre planète ne sont pas nécessairement négatifs, au contraire. Ce sont de bonnes choses. Bien sûr, on peut se détruire en moins d'une seconde… Mais l'exemple du Brésil donne espoir. Nous sommes de plus en plus conscients que nous sommes responsables des problèmes, et qu'il faudra nous relever les manches et avancer tous ensemble.

DEMAIN PEUT-ÊTRE…

Demain peut-être
Il y aura fête
Mais aujourd'hui l'heure est aux pleurs
Aujourd'hui l'heure est à la guerre

Demain peut-être
Crient les poètes
Pour l'instant, malheur au bonheur
Pour l'instant, terreur dans les cœurs

Faut pas chanter ces choses-là
Personne ne veut entendre ça
800 millions qui vivent bien
Pour 6 milliards qui meurent de faim

Ne gueule pas ces mots sur les toits
Faut juste les penser tout bas
Ces gens souffrent pour notre bien
C'est comme ça, tel est leur destin

Aujourd'hui il n'y a qu'une loi
Très peu pour vous et tout pour moi
Chez moi on se doit d'être bien
Si vous crevez, crevez très loin

Tous les salauds vivent sous nos toits
Et tuent au nom de notre foi
S'ils sont des hommes, ils le cachent bien
Car moi je ne vois que des chiens

LUCK MERVIL

Chapitre 7

ENSEIGNER L'OUVERTURE : L'ENFANT MÉTIS NE SAIT PAS QU'IL EST MÉTIS

Comme je l'ai déjà dit maintes fois, je pense que la réponse ultime à toutes ces questions fondamentales que nous, humains, nous posons aujourd'hui, c'est le changement de mentalité. Les mentalités, ça se construit par l'éducation. C'est par là que nous devons commencer si nous voulons changer les choses.

Toutes les sociétés humaines ont toujours réfléchi et continuent de réfléchir à ce qu'elles sont et à ce que sont les autres collectivités humaines. L'une des plus grandes caractéristiques communes à toute l'humanité, c'est l'ethnocentrisme, c'est-à-dire l'attitude qui consiste à rejeter les formes culturelles, sociales, religieuses et esthétiques qui sont les plus éloignées de celles propres à « son » groupe. C'est un refus de la diversité culturelle qui s'accompagne d'un rejet de tout ce qui n'est pas conforme aux normes de sa propre société. Cette attitude n'est pas innée, elle est acquise.

Ainsi, jamais l'enfant métis ne saura qu'il est métis avant qu'on le lui apprenne. Et on le lui apprend parfois assez durement. Je me souviens quand j'étais petit… Si vous me voyez de près, vous remarquerez que j'ai une dent qui est cassée. Elle s'est cassée lors de ma première journée d'école au Québec. Je suis arrivé à l'école, et un des enfants s'est mis à me traiter d'« ostie de nègre » et, sans que je l'aie vu venir, j'ai reçu un coup de pied à la mâchoire. Paf ! Une dent cassée.

Avant cette journée-là, je n'avais jamais saisi la notion de différence. Mon père était très foncé de peau, probablement d'origine congolaise ou béninoise. C'est mélangé, en Haïti ! Ma mère, elle, a la peau très pâle. Pourtant, ses traits sont négroïdes.

Ça fait drôle d'entendre ma mère dire: «Je suis fière d'être Noire!» Elle ne bronze pas, elle rougit, comme une Blanche. Ça, ce sont mes parents. Je suis Créole, je suis un mélange, je suis le produit des gènes de mes deux parents. Depuis toujours, pour moi, arriver dans un pays où il y a juste des Noirs, c'est arriver parmi des gens qui ressemblent à mon père. Arriver dans un pays où il y a juste des Blancs, c'est retrouver du monde qui ressemble à ma mère. Mais tout petit, je ne savais pas que j'étais métissé, que j'étais mélangé, et que certaines personnes, qui ne l'étaient pas, pouvaient me rejeter pour cette raison-là.

Ce sont les autres qui m'ont appris à faire la différence, qui m'ont appris qu'il existait des distinctions: «Des Noirs, ce sont des Noirs, des Blancs, ce sont des Blancs, des Chinois, ce sont des Chinois, et des Arabes, ce sont des Arabes. Ce n'est pas la même chose!» Eh bien, oui, c'est la même chose! Ce sont des humains!

Dans les yeux des enfants

Les enfants voient des différences. En garderie, ils apprendront à identifier les parties du corps, les vêtements et les couleurs. De là, ils en viendront à dire d'un autre enfant qu'il a les cheveux blonds, un chandail rouge, les yeux bleus. Mais tant qu'on ne lui apprend pas à faire des distinctions dites raciales, aucun enfant n'en traitera un autre de nègre, de *whop*, de Jaune. Pour l'enfant, la peau peut être d'une couleur ou d'une autre, comme peuvent l'être des cheveux, un pantalon, un manteau.

C'est fou, mais pour l'enfant, c'est ça. C'est nous qui leur apprenons qu'ils peuvent juger les autres en se basant sur la couleur de leur peau. L'enfant métis ne sait pas qu'il est métis. Qui le lui dira? Les adultes qui l'entourent, ou encore les enfants de son entourage qui l'auront déjà appris de leurs propres parents. C'est l'adulte qui fait les distinctions, qui crée aussi une hiérarchisation. Ce n'est pas l'enfant.

Je l'ai vécu, ça. Le jour où cette notion de différence est entrée en contact avec l'enfant que j'étais, je ne comprenais pas. Sans blague! Imaginez-vous arrivant à l'école et, tout de suite, on vous crie des mots dont vous ne comprenez pas la signification et on vous frappe. J'étais tout petit, c'était à la maternelle! Pour moi, il n'y avait aucune raison pour expliquer ça. Je ne comprenais pas pourquoi l'autre petit garçon m'avait frappé. Ça ne faisait pas partie de mon éducation. Je n'avais aucune idée de ce qui se passait ! Plus tard, j'y ai réfléchi, et je me suis dit : « Ma mère est Blanche de peau, mon père est Noir de peau… C'est pas supposé se mélanger, ce monde-là ! Et eux, ils l'ont fait ! Alors, moi, je suis quoi ? S'ils ne peuvent pas se mélanger, est-ce que c'est parce qu'il risque d'en résulter une abomination ?! Moi, en l'occurrence ?! » Parce qu'un Métis qui découvre ces distinctions se pose des questions ! « Je suis qui ? Est-ce que je suis correct, est-ce que je suis normal ? » Les Blancs vous voient trop foncé pour eux, et les Noirs, trop pâle. Génial, non ?!

C'est tout ça qui passe dans la tête d'un enfant quand il entre en contact avec des choses comme celles-là et découvre que, selon le monde qui l'entoure, il n'est pas censé exister. Au fond, ce questionnement touche toute sa recherche d'identité, sa façon de se percevoir lui-même… Éventuellement, il apprendra l'histoire de l'humanité, il s'intéressera à la biologie, il découvrira qu'il est humain, Créole, qu'il est un mélange et que les races, et que la religion, et que l'ignorance, et que l'histoire, et que le sang, et que l'ADN, etc. Et il cherchera. À la limite, ç'a été bénéfique pour moi, tout ça, parce que ça m'a forcé à aller chercher. Mais quand on instruit un enfant dans l'idée que sa race est supérieure, quand on le martèle avec des notions comme : « Tu es Blanc, tu es supérieur aux autres, notre race a tout créé », cela comporte des dangers évidents puisque ça conditionne l'enfant blanc à dénigrer les autres, et ça l'installe dans un confort qu'il est très difficile par la suite d'éliminer pour faire une place, dans son esprit, à l'ouverture, à l'égalité et à l'idée d'humain.

On n'enseigne pas aux enfants ce qu'ont fait les autres. On ne leur dit pas qu'il a fallu que des peuples issus des mêmes racines se retrouvent des millénaires après leur séparation pour arriver à comprendre la vie et le monde tel qu'il est. On ne leur dit pas que sans ces rencontres, ils n'y seraient pas parvenus. Chaque personne sur la Terre, selon son milieu géographique, a eu à créer des choses à cause des contraintes de ce même milieu. Il fait froid ? Faisons des manteaux, inventons l'isolation et le chauffage, construisons des habitations qui nous protégeront des vents, ou bien nous mourrons gelés. On vit dans des îles tropicales ? Eh bien, construisons des bateaux, parce que, sur une île, nous ne pouvons pas nous autosuffire. Il nous faudra entrer en contact avec des peuples qui vivent sur le continent, parce que ceux-ci nous aideront à nous procurer de la nourriture, de l'eau potable, des ressources. Inventons la voile, et fabriquons des catamarans qui ont plus de stabilité qu'un bateau monocoque. Un catamaran, c'est un véhicule hautement technologique, c'est plus avancé qu'une barque ! Eh bien, ce sont des Hawaïens qui ont construit les premiers, avec des bûches de bois. Parce qu'ils vivaient sur la mer ! Ils se sont adaptés.

Les métis sont les plus forts

La nature nous démontre que quand on se mélange, quand on s'amalgame, on devient plus forts. On bénéficie de plus de protection. Si j'arrive d'Afrique et que je me mélange à une femme qui vient du Québec, nos enfants auront ses anticorps, mais ils auront aussi les miens. Ils seront donc plus forts, mieux protégés, mieux adaptés à ce monde où les bactéries voyagent en première classe. L'organisme se renforce grâce au métissage. C'est vrai pour les animaux, pour les plantes, c'est vrai pour tout. Dans le concept de race pure, la pureté, c'est la fragilité. Ça, c'est une autre chose qu'on ne nous apprend pas. Les individus dits « purs », devraient tôt ou tard être placés dans des cages de verre dans lesquelles la qualité de l'air ambiant serait contrôlée, dans lesquelles aucune bactérie ne pourrait entrer. Parce qu'à la seconde où on les sortirait de là et où ils respireraient l'air extérieur, leurs vies seraient en danger. La pureté, c'est la fragilité. Les purs seraient prisonniers de leur soi-disant pureté…

Allez faire un tour chez les groupes qui ne se mélangent pas et qui ne se reproduisent qu'entre eux. Regardez-les un peu. Ils ne sont pas un exemple de robustesse et n'ont généralement pas le teint frais et éclatant des grands athlètes… La réalité, c'est qu'il faut qu'ils se mélangent parce que la nature va jouer contre eux à un moment ou à un autre, et ce serait dommage pour toute la race humaine que de ne pas avoir accès à leur patrimoine génétique.

Quand on regarde les habitants du Brésil, on se demande d'où ils viennent. Certains mélanges sont assez inusités, les cheveux roux, les yeux bleus et bridés, la peau noire. Wow! Les Brésiliens sont tous beaux, ils ont en général des corps magnifiques... Ils sont tous mélangés! Et quand on se mélange, le corps ne garde que le meilleur. Le métissage constitue en quelque sorte la dernière instance de sélection naturelle. C'est le meilleur qui reste! Ils sont plus beaux, plus solides, plus forts, plus en santé, plus résistants... Voilà. C'est une simple réalité. Leur organisme a été tant de fois renforcé par le métissage!

L'Afrique est l'endroit du monde où les populations sont les plus métissées, mais on ne le voit pas puisque les habitants sont tous Noirs. On a l'impression qu'ils sont tous pareils, mais c'est totalement faux. L'Afrique recèle plus de 2 000 langues parlées, des peuples de partout, et ils sont tous mélangés entre eux. Quelles en sont les conséquences? Le sida apparaît, fait des ravages partout sur la Terre pendant 20 ans, et qu'est-ce qu'on apprend un jour? Que les Africains sont les premiers à être immunisés naturellement contre le sida. Pourquoi? Parce qu'ils sont métissés! Quelque part, il y a un Africain là-dedans qui possède, dans son ADN, un gène capable de le protéger du sida. On a peut-être déjà eu le sida, il y a 5 000 ans, et ce type possède toujours l'anticorps capable de l'en préserver. Grâce à ce gène, il sauvera peut-être les autres. Peut-être!

Si on se mélange tous, un jour, les Bruns seront majoritaires. Et c'est vers ça qu'on va, ce n'est encore là qu'une question de temps. Pouvons-nous accélérer le processus? Ce n'est pas ça, la vraie question. La vraie question, c'est: QUAND allons-nous commencer à l'accélérer?

Grâce à nos voyages et, surtout, à nos façons de voyager, on est en train d'accélérer la propagation de maladies qui n'existaient pratiquement plus. On fait voyager des virus qui sont ailleurs et qui, à une autre époque, auraient mis 50 ans à voyager d'un continent à l'autre, ou encore n'auraient jamais survécu au voyage. Aujourd'hui, tout a changé. Si une maladie arrive à Abidjan, par exemple, et se colle à quelqu'un qui prend l'avion pour le Québec, on la reçoit quelques heures plus tard! Et elle voyage à l'air conditionné, en plus. Elle est bien conservée, et le voyageur vient de la donner à 300 passagers.

Ces 300 personnes nous la communiquent, tout le monde tousse, hop! cinq mille cas. Dix mille. Vingt mille.

Il faut qu'on se mélange pour se renforcer. C'est clair, c'est évident, c'est sûr. Pourquoi ne parle-t-on pas de métissage à la télé, dans les journaux, ou même entre nous? Pourquoi on ne l'encourage pas? Pourquoi on n'en fait pas la promotion? Pourquoi ne mettons-nous pas l'accent sur la meilleure espèce à marcher sur deux pattes, la meilleure race qui soit: la race humaine?

Serait-ce, encore une fois, qu'on attend de se retrouver au pied du mur pour agir? On va attendre d'être au bord de la mort et là, on dira: «OK, il faudrait peut-être se mélanger! Il faut qu'on mêle à notre sang des gènes plus forts!» Qu'est-ce qu'on attend? Un métissage planétaire serait bon pour notre économie, pour notre santé, pour tout. Pour notre mentalité aussi…

Voici un exemple très simple. Au quatrième chapitre, j'ai mentionné qu'au Brésil, il y a plus de Libanais qu'au Liban. Si, demain matin, le Liban et le Brésil, pour une raison ou une autre, décidaient d'entrer en guerre, je pense qu'ils se parleraient avant de lancer des missiles. Pourquoi? Parce que les Libanais établis au Brésil, pour la plupart, conservent des attaches à leur pays d'origine, certains y ont probablement encore de la famille. Alors, peut-être qu'ils souhaiteront éviter de faire une guerre et trouver plutôt un moyen de s'entendre… Eh bien, ça, c'est un effet direct du métissage. Quand nos frères sont aussi nombreux dans le pays dit ennemi que sur le sol où l'on vit, on y pense à deux fois avant d'envoyer des soldats tirer sur les foules. Si le Québec avait un jour l'intention d'attaquer Haïti, oubliez ça! Il y a 200 000 Haïtiens qui descendraient dans la rue et diraient: «Un instant! Ma mère est là-bas, mon cousin est là-bas! Trouvons une solution avant d'envoyer des bombes!»

Quand je parle de métissage aux gens qui m'entourent, ils pensent tout de suite aux enfants qui naissent de deux parents d'origines différentes. Le métissage, ce n'est pas que ça. C'est politique, c'est physique, c'est culturel, c'est scientifique. Il faut se mélanger à l'autre… tout en préservant toutefois sa propre unicité. Il est important, à travers ce métissage-là, de garder certains attributs nationaux tout en s'ouvrant à l'Autre. C'est encore Einstein qui parlait de point de vue: le point de vue est important. Votre culture, votre façon de penser font que vous avez sur les choses un point de vue unique. Votre point de vue fait en sorte que vous serez en mesure d'avoir des idées et de créer des choses qu'un autre, au point de vue différent, ne pourra concevoir. Le lieu géographique où vous vivez fait en sorte qu'il y a des inventions que vous ferez que moi, je ne pourrai jamais faire. Et vice-versa.

Se métisser pour résoudre les problèmes environnementaux...

Les choses risquent de bien changer au fil des siècles à venir. À cause du réchauffement climatique, la Terre pourrait bien devenir uniformément froide, chaude ou tempérée. Dans une cinquantaine d'années, le centre du globe (les tropiques), tel qu'on le connaît, sera un désert. Et ce désert va s'étendre. Les endroits qui seront verts, ce sont les endroits qui ont déjà été verts. Ce n'est pas la première fois que ça se produit. Pensons au Groenland, couvert de glace aujourd'hui. « *Groen* », ça veut dire « *green* ». « *Green land* ». « La terre verte ». Cette terre a donc déjà été verte, puisqu'on l'a appelée ainsi. Donc, la Terre a déjà été chaude. Le problème, c'est qu'elle va devenir grise aussi, cette fois. Ce sera une grande adaptation pour les humains, quand nous y serons. Nous n'aurons pas le choix de nous adapter au climat, peu importe où nous vivons maintenant. Nous sommes les ancêtres de ces peuples qui devront s'adapter à un climat tout à fait différent de ce que nous connaissons, et le changement risque de s'opérer beaucoup plus vite qu'on pense. Et on ne s'est pas préparés...

On s'aperçoit chaque année que les prédictions des scientifiques se réalisent et, pire, que la situation est encore plus grave qu'ils ne l'avaient annoncé. Quand ils prévoient que l'eau va monter d'un mètre, il faut s'attendre à gérer des flots d'une profondeur de 100 mètres. Savez-vous ce que ça représente, 100 mètres ? Ça signifie que le tiers de l'île de Montréal disparaîtrait sous l'eau. Que sur la planète, au moins 15 % des terres cultivables disparaîtraient. Et la plupart des grandes villes sont à côté de l'eau : New York, Montréal, Tokyo... Tout le monde vit près de l'eau, et l'eau va monter. Durant les 10 dernières années, un peu partout dans le monde, 10 000 îles se sont retrouvées sous l'eau. Et on ne nous en parle pas! Ensuite, on se demande comment il se fait que les gens ne réalisent pas la gravité de la situation. On ne parle même pas d'inondations; une inondation, c'est le débordement momentané des eaux d'un fleuve, d'une rivière, qui recouvriront temporairement les territoires environnants. Cette eau qui noie les terres, un jour, elle ne redescendra pas. Elle va rester là et elle montera encore. Les terres continuent à sombrer. Ça ne s'arrêtera pas, c'est exponentiel.

L'année dernière seulement, il y a eu 300 millions de réfugiés climatiques. Ces 300 millions de personnes ont dû quitter leur territoire d'origine parce que le climat, qui avait changé, ne leur permettait plus d'y survivre. C'est l'équivalent de la population des États-Unis. Des gens qui n'avaient plus de maison, plus de terres, plus rien. Combien de réfugiés climatiques chercheront asile cette année? Et l'année d'après? On prévoit qu'au moins le tiers de la population terrestre, dans les 20 prochaines années, sera composé de réfugiés climatiques. Le tiers de la population terrestre, ça équivaut aux populations de la Chine, de la Russie, de l'Inde et du Brésil mises ensemble. Ces gens-là n'auront plus de terres. Ils vont aller où, d'après vous? On n'a plus de nourriture. On commence à chialer parce que les prix montent. On a des problèmes d'eau potable. Qu'est-ce qu'on fait? Des gens descendent déjà dans la rue. Ça va ressembler à quoi, quand ce sera le tiers de la population qui crèvera de faim? Que fait-on, là? Il faut absolument se poser la question.

Il faut se métisser, et le plus vite possible. Sinon, on va tous s'entretuer. Le métissage n'empêchera pas le réchauffement de la planète. Mais le métissage va nous forcer à penser en humains. Penser en humains n'empêchera pas le réchauffement de la planète, mais penser aux autres, se dégager de nos habitudes capitalistes et égocentriques, faire plus attention aux régions du monde qui sont victimes des excès occidentaux, tout ça peut contribuer à le ralentir. On ne peut pas arrêter le bateau. On peut seulement le ralentir.

On doit changer radicalement nos façons de voir le monde, de voir la vie, et de nous voir nous-mêmes. Il n'y a même pas de questions à se poser. Il faut qu'on le fasse. Et il n'y a plus de temps, aujourd'hui, pour marcher sur le bout des pieds, pour émettre tout bas nos opinions sur le monde, presque en s'excusant. Je n'ai pas la science infuse. Mais je n'ai pas le temps de vous dire que je n'ai pas la science infuse. C'est le temps maintenant de passer à l'action. On a des choses à faire, et il faut les faire maintenant. Parce que pendant qu'on réfléchit et qu'on se demande si untel est suffisamment qualifié pour se permettre de proposer des solutions, l'eau monte. C'est le début de la fin.

Il ne s'agit plus d'être alarmiste, mais de s'ouvrir à la réalité. Bien sûr, il est permis de penser positivement. J'ai en moi des perceptions très positives, et j'ai de l'espoir, aussi. Mais il faut également commencer à regarder les solutions et oublier un peu la pensée magique. On est forts, là-dedans, sur notre belle planète Terre. « Il n'y a pas de problèmes, il n'y a que des solutions ! » Eh bien, trouvons-les, ces solutions. Arrêtons de nous faire mettre des bâtons dans les roues par les grandes entreprises. Si nos solutions empêchent leurs présidents d'empocher des milliards de dollars de bénéfices, ils réagiront. C'est à nous de nous tenir debout.

Il y a des idioties qu'on ne peut se permettre de faire. Comme prendre le maïs pour en faire de l'éthanol et nourrir nos voitures. Pas besoin d'avoir la tête à Papineau ou d'Albert Einstein pour comprendre que c'est peut-être plus important de nourrir les humains que les autos. En tentant de régler un problème, on en crée quatre nouveaux ! C'est tellement gros ! C'est tellement gros qu'il est évident qu'il ne s'agit pas d'une erreur. Un type s'est probablement dit quelque part : « Il y a du *cash* à faire. Je vais faire bien plus d'argent à vendre de l'éthanol qu'à vendre du riz. » Et un autre a dû objecter : « Mais il va manquer de riz ! » « On s'en fout ! Nous, on est des vendeurs de l'éthanol. Si on fait de l'argent avec de l'éthanol, on va pouvoir s'acheter du riz ! » « Mais tu as raison ! Génial, on vend de l'éthanol. »

… et pour éviter d'oublier l'Autre

C'était un choix délibéré. « Ils mourront de faim, on s'en fout. On se fout des Africains. Qu'ils meurent. Ils ne nous causent que des problèmes. Même chose pour les Indonésiens. C'est juste du trouble ! »

COMMENT
(version rap)

Comment vivre / le monde est pourri
Comment manger, où marcher / le monde est pourri
Comment travailler, se reposer / le monde est pourri
On r'garde la tévé, on watch the news
mais comment ? / Le monde est pourri

J'ai mal / j'me fais baiser par tous les trous à grands coups
de mensonge,
l'illusion est parfaite, tout le monde y plonge
Manipulé, escroqué, on s'en fout…
Le monde est fou
J'en ai assez, la terre tremble sous mes pieds
Je vois les bombes exploser,
Les balles tirées, les coups frappés
Vous allez me dire que vous les sentez
Non / on est bien entraînés
On ne sait pas pleurer
On médite
On fait nos exercices
On s'applique
On se convertit au bouddhisme narcissique de l'Amérique
À chacun son karma
Moi, j'aime mon Moi
Je suis compatissant
Y s'agit pas d'mon sang
C'est beau d'voir ça
Moi, j'aime mon Moi
J'embarque pus là-dedans

C'est poche
On vit pour les grosses poches
Ce qui compte c'est la sacoche
Garocher des bombes sur d'la roche
Fuck the world

Mais…
Nos actions montent d'une coche
Nos cennes se changent en piastres
On va se faire la passe
Ce qui s'passe ailleurs se passe ailleurs
C'est pour mon cul que j'ai peur
J'veux pas le geler icitte
J'veux partir, vite
Vivre en winner
Éduquer ma progéniture
Lui faire croire qu'la vie est pas dure
Qu'y est pas un looser
J'prépare son avenir
Je signe des traités de paix
Avec des épais
Qui m'donnent leur terre pour une bouchée de pain
Toujours le même refrain
(Boum! Boum! Boum!)
J'te laisse sauter mes tours de Babel
J'te fais sauter avec mes bébelles
J'me fais du cash, la vie est belle
Pis j'rapatrie les infidèles
Pêle-mêle
C'est convenable en crisse
J'fais tout ça au nom du Christ!
Les States ont la grippe
C'est moi qui tousse
J'leur fais des pipes
Y'se la coulent douce
Oh, Canada!
Nos couilles sont molles
On gobe tout ce qu'on nous dit
Comme des vaches folles
Des putes frivoles
Fierté, mon cul
La politique pue
Dedans, que du pus
Je sais que c'est cru
Mais qui croire?
J'les ai déjà crus! Jamais plus
Des traîtres comme tant d'autres

Des Judas qui crient qu'ils sont des apôtres
Faites/ croire/ ça/ à d'autres
On fait aux Autochtones
C'que les Anglais nous ont fait
Que le fédéral encore nous fait
Comme ça le monde reste parfait
Y'a pas de progrès

On est tous des porcs
On couine tous vers la mort
Et quand bien même ça me mord
Cette morsure vaut de l'or

(Ha! Ha! Ha!)
J'me fais rire
Quand j'pense aux illusions que j'ai pu nourrir
J'voyais un nouveau monde jaillir
Dans la métropole
On se métisse de plus en plus
Grecs, Italiens, Chinois, Russes, Hindous, Juifs, Latinos
Sortez de vos ghettos
Faire votre patrie en plus petit
C'est ça la prison à vie
Le rêve américain
Se bâtit su'l'dos des tiens
Qui sont restés derrière
À travailler pour trois fois rien
Tu veux être libre et souverain?
Vois le peuple qui t'accueille comme le tien!
Tu aimes ses banques
Mais tu méprises sa langue.

J'sais pas c'qui me fait parler
J'crois plus en rien
J'en ai assez de tolérer
J'suis proche d'la fin
Faut que j'arrête de penser
Parce que j'vais me tuer
Ça va m'tuer
Pis je l'sais
J'peux m'exploser su'a place publique
Mais ça f'ra pas lever le public

Dans une seconde y'est amnésique.
J'craque. J'débarque

Maman…
Mais qu'est-ce qu'il reste à espérer ?
Qu'un enfant peut tout changer ?
Que procréer c'est triompher ?
J'peux pas, ça me donne le goût de brailler
Quand j'pense au jour où il va pleurer
Quand j'pense au jour où mon enfant va me demander :

« Maman, le monde est fucké,
comment on fait pour le changer ? »

Mais où est-ce que j'vais trouver l'courage
En regardant son doux visage
De dire : J'ai épuisé ma rage
Comme un hamster dans sa cage
J'ai laissé faire le carnage
On est tous des bêtes sauvages
Et même pire, des anthropophages
J'enrage !

Les couillons jouent les offusqués
Quand ils entendent le franc-parler
C'est trop dur de s'faire réveiller
Par les cris d'ceux qu'on a tués
C'est le frappeur qui se fait frapper
C'est le baiseur qui se fait baiser.
Mais tout est bien qui finit bien
Demain encore une autre chance
D'exploiter et de frapper
Pour prendre enfin notre revanche
Et vivre une plus grande opulence.

Moi, j'espérais que c'est ici que ça allait se passer
Le nouveau courant, la nouvelle mentalité
Le réveil de l'humanité…
Ouais…

TANIA KONTOYANNI

Haïti, par exemple, c'est un pays où, chaque année, il passe 23 milliards de dollars de drogue. Cet argent va au Canada, en Angleterre, en France et aux États-Unis. La drogue n'est même pas produite là-bas. Et ce sont les Haïtiens qui causent le trouble?! L'argent ne reste pas là-bas, il ne fait que passer. C'est un transit. Et ce sont les Haïtiens qui causent le trouble?! C'est bizarre. Finalement, ils ne sont absolument pas concernés par ce trafic, mais ce sont eux qui en sont responsables? Ils vivent dans le chaos, ils n'ont rien, ils n'ont pas de système médiatique, rien d'électronique, ils n'ont pas de voitures... C'est une île! Quand on vit sur une île, on est très dépendant. Un producteur agricole texan, par exemple, peut dire aux insulaires: « Si vous ne fermez pas vos gueules, je ne vous envoie pas de pétrole. Le riz, c'est moi qui le produis, je subventionne mes compagnies au Texas pour faire du riz qui va coûter moins cher que celui qui vient de chez vous, même s'il est cultivé par vos pauvres qui gagnent entre 300 et 400 dollars US annuellement. À ce prix-là, votre riz coûte plus cher que le mien... Donc, votre peuple ne peut pas acheter son propre riz, il est trop cher. Et moi, je vous ai encouragés à ne pas en produire, vous avez déboisé vos terres, qui sont devenues un désert de toute façon. Comme c'est sec, vous ne pouvez plus faire pousser de riz. Vous n'avez pas d'irrigation. Et c'est moi qui ai le contrôle là-dessus aussi puisque je vous approvisionne en eau, en pétrole, en riz. Si vous me faites chier, j'arrête tout. » Qui a le contrôle, d'après vous? Il me semble que c'est clair.

Ce même schéma est partout. Il s'agit de le chercher, il est partout. Ce n'est que ça. On peut tout ramener à ça, même si ça fait simpliste, même si ça a l'air fou. La base, c'est ça.

Maintenant, est-ce qu'on peut attaquer ça? Est-ce qu'on peut démanteler ça? Oui, on peut. Mais, pour ce faire, il faut se responsabiliser, il faut se prendre en mains. Et c'est moins compliqué que ça peut sembler. Au Québec, en France, aux États-Unis, dans les grands centres urbains surtout.

Le commerce de l'eau

Au Québec, on a de l'eau. Le Québec, si l'on considère la quantité par personne, contient probablement plus d'eau potable que tout autre territoire sur la planète. Et je ne parle pas du Canada, je parle du Québec. Nous disposons de l'une des plus importantes réserves d'eau douce au monde. Plus de 3 % de la réserve mondiale d'eau douce se trouve au Québec. Sa surface d'eau douce, près de 177 000 km², représente la plus grande parmi celles de toutes les provinces canadiennes. L'eau douce représente 12 % de la superficie totale du Québec. On a un demi-million de lacs d'eau douce, dont 30 ont une superficie supérieure à 250 km², et 4 500 rivières. Je ne connais pas d'autre pays qui ait un demi-million de lacs d'eau douce. Quand on regarde la carte du Québec de près, on voit bien que la terre est striée d'innombrables rivières et tachetée de lacs. Comptez le nombre de ponts que vous traversez en voiture sur le trajet entre Montréal et Québec... Et tout ça, c'est de l'eau douce, buvable, dans laquelle on peut plonger les mains. Mon ami Garou habite dans les Cantons-de-l'Est. Je vais chez lui en barque, on plonge nos mains dans l'eau et on la boit. Parce que les embarcations à moteur sont interdites sur ce lac. L'eau est propre.

Et on a ça à la grandeur du Québec, de l'eau potable comme ça. Demain matin, s'il manquait d'eau sur la planète, on serait en mesure de prendre une décision très simple : on nationalise l'eau potable. L'eau, au Québec, appartiendrait aux Québécois. Si quelqu'un venait de l'extérieur, il ne pourrait pas acheter l'eau du Québec sans le consentement des Québécois et l'exploiter à outrance. Ce ne serait que la nation québécoise qui pourrait exporter l'eau québécoise. Eh bien, en prenant la décision de nationaliser notre eau, nous prendrions le contrôle de notre avenir et de l'avenir de ceux qui viendront après nous. C'est nous qui avons la plus grande réserve d'eau. C'est une grande responsabilité. Nous prendrions le pouvoir sur un élément de base, et ce qui nous donnerait ce pouvoir, c'est le lieu géographique où nous sommes nés, où nous vivons. Mais avons-nous la sagesse de ce pouvoir ?

On peut dire aux conglomérats de ce monde : « Nous, ici, au Québec, on a décidé que l'eau, c'était gratuit. Alors, vous ne pouvez pas en vendre chez nous. » C'est un énorme pouvoir !

L'eau Eska, c'est la meilleure eau au monde. À Saint-Mathieu-d'Harricana, en Abitibi, les habitants en sont très fiers et ils ont bien raison : « L'eau Eska vient d'ici ! C'est la meilleure eau au monde ! » disent-ils. Mais l'eau Eska, ça appartient à qui ?

C'est la propriété d'Eaux Vives Water inc., dont le siège social est à Toronto. Cette compagnie appartient à Morgan Stanley Principal Investments, une compagnie financière new-yorkaise. Qui travaille dans les usines de Saint-Mathieu? Pas même une centaine d'employés. Pour le reste? Euh, des robots. L'eau sort de la terre de ces habitants, mais ne leur appartient pas, ils ne font pas d'argent, et ils ne travaillent pas à l'usine. Ça sert à quoi, alors?

Ce sont des choses comme celle-là qui me font me demander: «Mais qu'est-ce qu'ils font, nos gouvernements? Qu'est-ce qu'ils font? C'est une *business*. Ils gèrent la *business*. Et dans cette *business*, la réflexion à laquelle on se livre, c'est: «Qu'est-ce qui va me rapporter le plus à court terme? Je dois annoncer rapidement à mon peuple que j'ai accompli telle chose et qu'on a amassé tant d'argent. Ainsi, je m'assurerai d'être réélu.» Pendant ces quatre ans, bien sûr, le gouvernement amasse de l'argent parce qu'il vend la ressource. S'il ne la vendait pas, à long terme, c'est nous qui serions riches. Mais ce n'est pas forcément le but de l'opération...

Pour accélérer le processus de métissage, on fait comment?

Au Québec, dans les années 1970, on voulait que les enfants jouent dehors. On faisait des pubs dans lesquelles on chantait le slogan: «Va jouer dehors!» Et que faisaient les enfants, dans le temps? Ils allaient jouer dehors, dans les ruelles, les parcs publics, etc. Aujourd'hui, il n'y a plus de pubs comme celle-là. Allez jeter un coup d'œil dans les ruelles: il n'y a presque plus personne et nos jeunes souffrent d'obésité. On leur dit quoi, aux jeunes? «Achetez des consoles Nintendo.» Eh bien, ils achètent des consoles Nintendo! Aujourd'hui, quand la pub s'adresse directement aux gens, c'est pour leur vendre des choses, ou encore pour réparer les pots cassés, pour tenter de résoudre des problèmes qui ont déjà fait des ravages. On a tous vu les publicités-chocs sur l'alcool au volant, la drogue chez les jeunes, le jeu compulsif. Mais c'était quand, la dernière fois que vous avez vu une publicité à la télé qui vous donnait un truc ou deux pour vous rendre la vie meilleure sans dépenser un sou? Aujourd'hui, on nous présente de la consommation, pas de la réflexion.

Dans les années 1960 et 1970, la pub à la télévision intervenait beaucoup plus directement dans la vie des gens. Il y avait par exemple l'humoriste Yvon Deschamps qui passait un message publicitaire sur le crédit personnel : «Attention quand tu jongles avec tes cartes, disait-il. Quand t'as pas les moyens, t'as pas plus les moyens parce que t'as une carte de crédit ! » Ça, c'était une intervention sociale directe. Et c'était un message responsabilisant. Oui, le crédit est disponible et pratique, mais c'est une responsabilité ! Il faut payer ! Le slogan, c'était : «Le crédit, c'est un pensez-y bien. » Le vrai message de cette publicité d'Yvon Deschamps, c'était : Pense ! C'est ça qu'il nous disait. C'était une pub qui poussait les gens à agir de façon réfléchie. On nous encourageait à réfléchir et c'était génial, est-ce toujours le cas ?

Ma race est la meilleure, dans le bien comme dans le mal...

Je ne crois pas que ce soit impossible de faire la même chose aujourd'hui. On a les moyens, et la publicité télévisée est un excellent véhicule. Mais il ne faut pas oublier une chose : les médias, c'est un outil. Comme le feu. Avec le feu, on peut brûler quelqu'un. On peut torturer quelqu'un. On peut commettre des méfaits, comme dans l'exemple des HLM incendiés, évoqué au chapitre trois. Mais, à 30 degrés sous zéro, on peut aussi utiliser le feu pour se réchauffer. On peut faire de la lumière, créer de l'énergie, etc. On peut faire plein de choses bénéfiques avec le feu.

Le feu n'est ni bon ni mauvais. Ça dépend comment il est employé. On ne peut pas blâmer le feu pour les dégâts qu'il cause. On ne peut pas blâmer le marteau pour s'être fait mal aux doigts. Il faut blâmer la main qui tient le marteau.

L'outil, donc le véhicule, qu'est la pub peut transmettre des messages positifs et constructifs. Mais nous, est-ce que nous voulons ? Parce qu'on peut, on le sait. Produire une pub, il n'y a rien là ! Si on peut produire des pubs pour promouvoir des choses aussi banales que des instruments de jardinage ou des figurines de personnages animés, on peut faire des pubs intelligentes aussi, on l'a déjà fait ! On peut le refaire, et mieux, même, pour transmettre le message à plus de gens en même temps.

C'est un pensez-y bien! Ce n'est qu'une question de volonté. C'est une question, encore là, de changement de mentalité. Et ça passe par l'éducation.

Si on veut faire la promotion du métissage, c'est ce qu'on doit faire. Éduquer, s'ouvrir. Au cours des dernières années, on a investi beaucoup d'argent dans la prévention du suicide chez les jeunes. On a fait de la promotion, on a fait des disques, des collectes de fonds pour dire aux jeunes: «Ne vous suicidez pas.» On a aussi trouvé des raisons qui mènent les jeunes au suicide, on a essayé d'aider, de donner des raisons de vivre à ces jeunes-là. Eh bien, le taux de suicide, il a baissé! En même temps, la pauvreté a augmenté, alors… ça donne des raisons de vivre, comme on l'a vu au chapitre trois.

Il faut donner des raisons aux gens de considérer le métissage comme une solution naturelle à beaucoup de problèmes. Il faut les instruire. Il faut leur dire: «C'est bon pour vous. C'est bon pour votre santé. Il faut arrêter d'être des "moi" pour devenir un grand "nous".»

Une fois que cette notion est comprise, concrètement, on n'a plus besoin d'encourager les mariages interraciaux. Ça se fera tout seul. Dans certaines écoles, actuellement, plus de 100 ethnies cohabitent… Un humain, c'est un humain. Un jeune garçon d'origine africaine voit une jeune fille d'origine chinoise devant lui, il la trouve mignonne, ils apprennent à se connaître, se découvrent des atomes crochus et tombent amoureux. Si aucune perception négative de la différence raciale, qui viendrait de l'éducation, ne se met en travers de leur chemin, le métissage va se faire tout seul. Personne ne va faire remarquer à ces deux jeunes qu'elle est Asiatique et que lui est Noir. Parce qu'une fois que les mentalités auront changé, ce ne sera plus le faux problème qu'on en avait fait.

Le métissage a commencé avec les voyages. Et même bien avant ça… Nous sommes tous des produits de métissage, de toute façon. Nous venons tous du même endroit, donc nous sommes nécessairement des mélanges! Nous sommes carrément des frères et des sœurs, des amis, de la famille qui se retrouvent. Mais cette famille évolue depuis peut-être 1 000 ans, 500 ans, ou encore un million d'années.

Nous ne le dirons jamais assez: si, par malheur, vous étiez victime d'un accident grave et que vous ayez un urgent besoin de sang, vos père, mère, amoureux, frère, sœur, s'ils n'ont pas un groupe sanguin compatible avec le vôtre, ne peuvent rien pour vous. Cependant, un illustre inconnu, originaire d'un pays quelconque, dont vous ne parlez pas la langue et avec lequel vous n'avez aucune affinité, s'il a le bon groupe sanguin, cet inconnu vous sauvera la vie.

Et nous sommes tous interféconds ! La voilà, la preuve irréfutable de l'homogénéité de l'humanité.

C'est ainsi que sont les choses et, de toute façon, on se pose de moins en moins la question. Quand on cessera de remettre une idée en question, ça voudra dire que cette idée fera alors partie de notre psyché, qu'elle sera devenue une notion innée, intrinsèque, qu'elle sera devenue une part de notre mentalité. Et qu'elle aura, enfin, un impact sur tout le reste.

Chapitre 8

LES MULTIPLES VISAGES
DU MÉTISSAGE : VERS L'UNIQUE

On doit tirer du peuple brésilien une autre grande leçon : une leçon culturelle. Le Brésil, c'est une culture qui est très forte, et c'est grâce à la façon dont cette culture est transmise qu'elle survit et se renforce. Par exemple, quand une émission de télévision brésilienne présente un chanteur qui interprète une pièce, neuf fois sur dix, au bas de l'écran, le texte de la chanson défile. Alors, automatiquement, les téléspectateurs l'apprennent. Les Brésiliens apprennent les textes des chansons. Donc, même si quelqu'un vient d'ailleurs, il regarde la télé au Brésil et apprend lui aussi le texte de la chanson et, du même coup, la langue. La musique est une excellente façon d'apprendre. Grâce à la rythmique, à la détente qu'elle provoque, elle permet d'intégrer facilement toutes sortes de notions.

Je me souviens, en Haïti, quand on apprenait l'histoire. On chantait : « Christophe Colomb a découvert Haïti… », et c'était un rap ! On peut rencontrer des chauffeurs de taxi haïtiens à Montréal qui connaissent leur histoire d'Haïti par cœur, les points et les virgules compris. Par cœur, du début à la fin. Non seulement à cause de la façon dont on la leur a enseignée, mais aussi parce que, à la fin de l'année, pour eux, il était obligatoire de savoir réciter l'histoire par cœur. Je ne dis pas que tous la comprenaient, mais ils la connaissaient par cœur. Parce qu'on a employé la musique comme outil pour la leur transmettre.

La musique dite « du monde »

À mon avis, l'avènement de la *world music* a été le premier pas vers sa disparition certaine. Par exemple, la musique d'Afrique de l'Ouest est arrivée au Québec à travers, entre autres, Youssou N'Dour, qui a fait la première partie du spectacle de Peter Gabriel dans les années 1980. N'Dour a fait le tour du monde avec ce spectacle-là, les gens ont entendu sa voix, ils l'ont reconnu. Ainsi, sa musique est devenue la leur. Elle est devenue la musique du Québécois qui l'a écoutée. À partir de là, l'influence québécoise s'est mise à contaminer le créateur. Et à la seconde où il a été influencé, sa musique ne s'est pas diluée, elle s'est métissée. Et cette influence du Québec a été une épice, une essence de plus qui s'est ajoutée à sa culture, à sa connaissance musicale, à ses lieux, je dirais, d'inspiration. C'est devenu un peu sa muse aussi. Désormais, dans sa musique, il y a donc un peu de cet échange qui transparaît. Alors, est-ce qu'on peut qualifier son art de « musique du monde » ?

Pour moi, le terme « musique du monde » est mal employé parce que tout le monde fait de la musique. Toute musique est « musique du monde ». Le folklore québécois, en Afrique, ce serait de la « musique du monde ». Tout dépend d'où on l'écoute. C'est toujours une question de point de vue. Mais à la seconde où le folklore québécois prend pied en Afrique de l'Ouest, à la seconde où l'Africain de l'Ouest commence à l'écouter et se l'approprie, est-ce que c'est encore de la « musique du monde » ? Est-ce que c'est encore quelque chose qui vient d'ailleurs ?

La « musique du monde » finit par ne plus exister parce qu'elle nous appartient à tous. En employant le terme « musique du monde », on détruit tout de suite le concept. De la « musique du monde », c'est quoi ? Moi, je reçois de la musique africaine : ce n'est plus de la musique africaine, c'est ma musique. Elle m'appartient. Ce n'est plus « *world* », ça nous appartient à tous. La musique africaine, aujourd'hui, au Québec, elle est partout, elle est omniprésente. Vous vous souvenez sans doute de ces vers :

Tassez-vous de d'là, il faut que j'voie mon chum
Ça fait longtemps que j'l'ai pas vu, y était parti, y était pas là
La dernière fois que j'y ai parlé son cœur était mal amanché
Sa tête était dans un étau, y était pas beau ?

Là-dedans, on entend du rap, du reggae, on entend la musique des frères Diouf (El Hadji Fall Diouf et Pape Abdou Karim Diouf, d'origine sénégalaise) dans leur langue et, en plus, on entend les paroles de Dédé Fortin, sur le rythme de *djembes* aux sonorités particulières... C'est tout un mélange. Et c'est quoi, cette musique ? Ce sont Les Colocs ! C'est une appropriation complète de toutes les influences, dans une chanson qui nous appartient.

Est-ce que c'est de la « musique du monde » ? Non. C'est de la musique, point. S'il existe une langue universelle qui soit bien vivante sur la Terre, c'est la musique. Les couleurs, les mathématiques aussi sont des langages universels. Mais la musique, avec son caractère communicatif, humain, émotif, brûlant, est certainement la langue universelle la plus importante. À partir de là, on doit comprendre qu'on ne peut pas prendre cette langue qui est universelle et se mettre à la fragmenter comme on l'a toujours fait, comme on a toujours été éduqués à le faire. Surtout à notre époque, où on est en train de réaliser que, finalement, nous sommes un. Quand on se met à explorer les musiques folkloriques de partout sur la planète, on s'aperçoit bien vite que toutes ces musiques qui portent en elles l'histoire d'un lieu, d'un peuple, eh bien, d'un point de vue musical, souvent, elles présentent les mêmes rythmes, les mêmes bases musicales, à peu près les mêmes mélodies, qui sont chantées à peu près de la même manière. Un rigodon, c'est du rap !

Samedi soir à Saint-Dilon
Y avait pas grand-chose à faire ;
On s'est dit : « On fait une danse,
On va danser chez Bibi. »
On s'est trouvé un violon,
Un salon, des partenaires,
Puis là la soirée commence
C'était vers sept heures et demie.

C'est la même chose que :

Samdi swa lan Sen-Dilon
Nou pa t gen anyen pounn fè

155

Nou di : « ann fon ti danse,
An nou desann kay Bibi »
Nou jwen yon akodeon
Yon salon de twa patnè
Se la fèt lan komanse
Li te zonn sè tè edmi.

C'est créole ! Et là, je pourrais parler du hip-hop américain, de chansons originaires de Russie, de partout sur la planète, jusqu'aux mélopées des moines bouddhistes, à la limite. On voit bien que, même musicalement, on vient du même endroit. Nos bases sont les mêmes, nos racines sont les mêmes. Le premier son que l'humanité a en commun est le son du battement de cœur maternel. C'est universellement humain.

C'est quoi alors, de la « musique du monde » ? C'est de la musique, point. C'est une langue que tout le monde comprend. Un chanteur ou une chanteuse manouche chantera quelque chose, et on dira que ça « sonne » comme du blues. Ça ne « sonne » pas comme du blues, C'EST du blues ! Le texte qui est chanté, c'est une peine, c'est une vie de bohème qui est racontée.

En fait, on a établi des références qui nous servent à catégoriser les divers types de musique. Comme on a catégorisé les humains à partir de caractéristiques physiques… Mais ces références ne doivent pas emmurer les styles et les confiner à un peuple ou à un autre. On a choisi Miles Davis et Mozart, par exemple. Ces références-là existent, mais se retrouvent dans des lieux communs. Oui, effectivement, on peut dire qu'une chanson composée de cinq accords, etc., c'est du blues, parce que, du blues, c'est fait comme ça. Mais du blues, il y en a dans à peu près tout. Même chose pour le jazz. C'est pour ça qu'on peut s'adresser à un artiste de blues et lui dire que sa chanson, c'est du country. Le blues et le country, ça se ressemble pas mal ! Une pièce de hip-hop peut fort bien ressembler au be-bop que faisait Miles Davis, et contenir quelques accords classiques. Eh oui ! Il n'y a que sept notes dans la gamme. Comme il n'y a que 23 paires de chromosomes dans le noyau d'une cellule reproductrice…

Le métissage, en musique, est déjà partout, et depuis longtemps. Vous avez déjà écouté du techno-punk-trash-rock ?

Pour désigner certains genres musicaux, on doit parfois coller les noms de quatre ou cinq styles, parce qu'on n'arrive pas à les caser dans une seule petite boîte. C'est de l'art, ça vient de l'humain, c'est une expression humaine. Parfois, un seul terme ne suffit pas.

La langue est aussi un produit de métissage

On a vu au chapitre quatre que toute langue est le fruit d'un métissage qui s'est déroulé sur plusieurs siècles. Permettez-moi de développer un peu ce sujet.

On trouve encore aujourd'hui en Amérique du Sud, dans la jungle amazonienne, des gens qui parlent une langue similaire au cantonais. Parce que même s'ils ont voyagé il y a 3 000 ou 4 000 ans, leurs ancêtres sont passés par le détroit de Béring et sont redescendus jusqu'en Amazonie. Pour certains, la langue n'a pas changé tant que ça. Ils provenaient probablement d'un canton en Chine ou en Mongolie où on parlait une langue qui est devenue la langue cantonaise, mais ce sont les mêmes racines. On s'aperçoit qu'ils emploient des mots similaires. C'est quelque chose d'assez impressionnant, quand on songe que trois millénaires les éloignent de leurs racines géographiques !

Il est erroné de croire que toutes les langues occidentales proviennent du latin et du grec... De toute façon, beaucoup de langues sur la Terre sont plus parlées que n'importe quelle langue occidentale, ne serait-ce que le mandarin, l'hindi, le sanskrit... Ce sont encore des facteurs géographiques qui ont favorisé l'émergence de milliers de dialectes. On n'a qu'à comparer le Québec à la France. En quelques centaines d'années, on a gardé certains archaïsmes, certains mots que les Français n'utilisent plus. On emploie d'autres mots que les Français n'utilisent pas parce qu'ils ne les connaissent pas, parce qu'on a découvert des choses ici qui n'existent pas là-bas, que les langues amérindiennes se sont amalgamées au français et qu'on s'est approprié des mots. Un exemple très simple : le terme « magané ». Ça n'existe pas en français. Ce mot est un dérivé du terme « magane », qui désigne un instrument fait de paille et de branches auquel les Amérindiens s'attelaient comme à un traîneau, et sur lequel ils plaçaient leurs enfants, leurs bagages, leurs raquettes. Et ils partaient dans le bois avec ça. Quand ils marchaient en traînant sur plusieurs kilomètres leur « magane » chargée des enfants, de la fourrure, de l'équipement, etc., et qu'ils mettaient une semaine et demie pour se rendre de Québec à Montréal, au terme du voyage, ils avaient l'air de quoi, vous pensez ? Ils étaient… « maganés » !

On a aussi intégré à notre vocabulaire des mots d'ailleurs. Les « bécosses », par exemple, c'est un mot qui vient de l'anglais « *back house* ». Certains mots sont issus de l'ancien français. En Gaspésie, les gens font bouillir le homard dans une « bombe ». C'est ainsi qu'ils appellent les chaudrons. Dans les années 1940 et 1950, on employait au Québec les termes « cygne » pour désigner un évier (de l'anglais « *sink* »), « fleur » pour désigner la farine (de l'anglais « *flour* »), « canard » pour la bouilloire, « *pantry* » pour le comptoir (qui est un emprunt direct à l'anglais).

Et ici, on parle d'une évolution qui n'a duré que quelques siècles. Imaginez la tête de notre langue après 3 000 ans ! Au bout de 3 000 ans, des Québécois retourneraient en France et ne parleraient plus du tout la même langue que les Français.

Cependant, je ne pense pas que la langue soit une barrière qui puisse empêcher le processus de métissage et d'ouverture. Voyez l'exercice que nous venons de faire. On se rend compte que plein de mots nous indiquent que les langues sont interreliées.

Personnellement, j'adore Shakespeare. J'ai lu la collection de tous les textes de Shakespeare, dans tous les formats, de toutes les éditions. J'ai lu, et j'ai relu. J'aime ça. Nulle part, dans les œuvres de Shakespeare, on ne rencontre le mot « *boy* ». Le mot « garçon » existe : « *lad* ». Mais « *boy* », c'est un mot africain. Dans le Sud des États-Unis, quand on disait : « *Hey, boy, come here !* », « *boy* » signifiait « vagabond ». Ça voulait dire : « Hé, le *bum*, le vaurien. » Les Africains s'appelaient comme ça entre eux pour s'agacer. Et le Blanc s'est un jour rendu compte que quand l'un appelait l'autre « *boy* », il n'aimait pas ça. Alors, il s'est mis à employer le terme. Puis, ça a évolué, et la signification de « *boy* » est devenue « jeune garçon ». Peut-être qu'on s'est aperçus qu'un enfant qu'on appelait « *boy* » l'acceptait mieux qu'un adulte… C'était un signe d'autorité, finalement, qui a fini par vouloir dire « garçon », puisque ce ne sont plus qu'eux qu'on appelle comme ça.

Beaucoup de choses comme celles-là se sont passées au fil du temps. Des études plus poussées ont révélé que certains mots, dans les langues africaines, sont à l'origine de mots chinois, mandarins ou cantonais, ou encore de mots mongols, ostrogoths, etc. On se rend compte, alors, qu'on vient effectivement tous d'Afrique... Toutes nos bases viennent de là. On pourrait donc vraiment suivre la route linguistique de nos ancêtres. On pourrait partir des Indes, par exemple, et faire le chemin en sens inverse pour trouver de quel endroit, en Afrique, leurs habitants sont issus, comme le font les Américains en consultant les « généalogistes ADN » dont on a parlé au chapitre quatre.

Plus une barrière

La barrière de la langue, aujourd'hui, n'existe plus. Quiconque se rend dans un pays étranger pourra jouir des services d'interprètes. D'ici quelques années, on pourra porter à l'oreille un appareil de traduction simultanée : notre interlocuteur parlera dans sa langue et nous pourrons comprendre tout ce qu'il dit. Ce sera traduit au fur et à mesure. On n'en est pas loin. On a la technologie pour faire ça. Qu'on regarde simplement le système Appletalk, intégré aux ordinateurs Macintosh, qui peut traduire (et prononcer à voix haute) dans n'importe quelle langue le texte que saisit l'utilisateur.

Technologiquement, on est rendus là. Si la machine est capable de le faire, dans 10 ans, un interprète électronique qu'on portera sur soi sera capable de tout traduire au fur et à mesure. Les langues, même si elles évolueront toujours, ne cesseront pas d'exister, mais elles ne représenteront plus un problème. Nous pourrons tous nous adresser dans notre langue à qui nous voudrons, et la machine va traduire, peu importe la langue. Elles seront toutes intégrées à une machine. Et cette technologie sera un jour accessible à tous.

Vers une universalisation des scrutins

Ainsi, puisque la langue n'est plus une barrière, puisque les cultures, si elles ne se métissent pas toujours, s'adaptent du moins les unes aux autres, je crois que l'étape suivante, c'est que les systèmes politiques, à leur tour, tendent vers l'unique, vers l'universel. Mais attention! Il ne s'agit évidemment pas de tout ramener à une question de souveraineté globale, à une seule instance qui régnera en despote sur notre petite planète appauvrie. Il s'agit plutôt de changer notre perspective afin d'élaborer le «morcellement» des gouvernements du monde entier.

Le candidat Barack Obama a été élu à l'investiture du Parti démocrate américain le 3 juin 2008. Moi, à la seconde où j'ai vu ce type débarquer sur la scène politique américaine, je me suis dit: «Ah! D'habitude, ils mettent trois clowns et, puisqu'on n'a le choix de voter que pour l'un d'entre eux, c'est un clown qui gagne. Voici un candidat qui n'est pas un clown! Je veux voter pour lui! J'en veux un comme lui chez nous!» Ce monsieur s'appelle Barack Obama. En ce qui me concerne, il aurait pu s'appeler Wong Chung Fing Wing, je m'en fous! L'idée, c'est que ce type n'est pas un clown. Il parle avec la voix de la majorité. On lui a demandé: «Si vous étiez élu président demain, quelle est la première chose que vous feriez?» Et il a répondu: «J'arrête la guerre tout de suite.» Wow! Il a osé dire ça! «J'arrête la guerre tout de suite, je fais rentrer tous les soldats au pays.» Et après? «Après, je rencontre les chefs de tous les pays avec lesquels on est en guerre, avec lesquels on a un différend. Je les rencontre et je leur parle. Il faut que je parle à mes ennemis si je veux régler les problèmes. On n'est pas forcés de se tirer dessus. Je veux les rencontrer, m'asseoir avec eux et essayer d'arranger le problème de façon diplomatique.» HEIN?!! Voyons donc! Du gros bon sens!

Un homme politique qui ose dire ça aujourd'hui, en 2008, peut se faire tirer une balle dans la tête. Oser dire ça, c'est presque aussi puissant que d'oser le faire. Le pas n'est pas grand. Déjà, il l'a dit, il a été clair. Habituellement, le baratin électoral n'a qu'un avenir: celui d'être démenti après l'élection. Ce que dit Obama, c'est: «Arrêtez d'avoir peur. La politique de peur, on en a assez.»

On a tout tenté pour discréditer ce candidat. Afin de jouer sur la sensibilité de la population envers les actes terroristes, on a dit de lui qu'il était musulman: c'est faux. Il a voyagé, il a étudié dans les meilleures universités. Ses parents n'étaient pas riches. Il est issu de la majorité. Il a travaillé dans la rue avec les gens pendant six ans, alors qu'il aurait pu recevoir un salaire annuel de 500 000 $. C'est un choix qu'il a fait. Toutes ces informations sont vérifiables.

Et tout ce que les gens au pouvoir ont trouvé pour le discréditer, c'est qu'il s'appelle Hussein. De là, ils ont déduit qu'il était musulman... C'est ça, sa grosse tare ? S'il avait réellement un squelette dans le placard, ne vous inquiétez pas, ils l'auraient trouvé ! Le Pentagone, la CIA, toutes les agences de la planète ont enquêté sur son passé. Si la seule chose qu'elles trouvent à redire, c'est qu'il s'appelle Barack Hussein Obama, et qu'à cause du nom Hussein, il est nécessairement musulman, donc mauvais, ça ne tient pas la route. C'est comme s'il s'appelait Adolf ! C'est ça, le grand argument de ses détracteurs ? C'est complètement ridicule. Obama est selon moi le meilleur candidat, il est bon, intelligent, éduqué, c'est un Américain, il est né aux États-Unis de parents américains... mais il s'appelle Hussein. Ah... Et les Américains, ils en diront quoi, au moment du scrutin ? « Non merci, on préfère élire le gars qui nous a fait faire deux guerres, qui a envoyé 4 000 de nos enfants se faire tuer, qui a placé notre économie dans la pire situation où elle se soit trouvée dans toute l'histoire de l'Amérique. Parce que lui, il s'appelle John ! » Rien à foutre de son *middle name*. Je veux voter pour ce type ! Pas parce qu'il est Noir, ça aussi, c'est stupide. On vote pour des idées, une vision politique du monde, une façon responsable de faire les choses, pas pour une couleur.

Je vous entends d'ici me dire que, malheureusement, je ne peux pas voter pour Obama parce que je suis Canadien... Non. Je ne suis pas Canadien. Ni Haïtien. Ni Québécois. Je suis humain. Un des gouvernements qui ont le plus de pouvoir sur la planète et qui influencent le plus ce qui se passe dans le monde et ce qui se passe chez moi, en ce moment, c'est le gouvernement américain. Je pense que j'ai un mot à dire dans le choix de celui qui va décider de ce qui se passe chez moi, qui va influencer toutes choses en ce monde.

J'ai même essayé, sur le site Internet de Barack Obama, d'aller donner de l'argent pour soutenir sa campagne. Je n'ai pas pu, évidemment, parce qu'il faut être citoyen américain, mais j'ai essayé. Je ne suis pas seul à l'appuyer. En France, en Suisse, en Belgique, en Asie, en Afrique, des associations, qui n'ont pas pu non plus envoyer d'argent, ont néanmoins été formées pour apporter soutien à la politique de Barack Obama. Ce sont des Asiatiques! Ce sont des Suisses, des Allemands! Ce sont des gens de partout qui ne sont pas Américains, qui ne peuvent pas voter pour lui, mais qui le soutiennent. Pourquoi?

Parce qu'un métissage idéologique et politique est en train de se produire. Ce sont les Américains qui contrôlent le monde? Eh bien, on a le droit de nous mêler de leurs affaires. On a le droit de nous impliquer dans le choix d'un candidat à la présidence. On ne peut pas voter, mais on peut pointer du doigt. On peut influencer. Et c'est une tendance mondiale.

Le métissage idéologique et politique, il est né de ces problèmes qui, de plus en plus, deviennent des problèmes communs. Ils l'ont toujours été, en fait, mais on ne l'a pas toujours compris. On n'a pas toujours été aussi bien informés. Aujourd'hui, on le réalise pleinement. L'environnement, par exemple, c'est un problème commun. Si quelqu'un fait une niaiserie ici à Montréal, on en trouvera des répercussions en Alaska. C'est pareil au pôle Sud. La décision qu'on prend en Chine me touche? Un instant. La Chine ne peut pas prendre cette décision juste pour elle. Elle la prend pour moi aussi. Donc, j'ai le droit de m'exprimer sur sa décision! C'est un raisonnement fort logique, mais notre système n'est pas bâti comme ça. Il faut le changer.

Humanité versus mondialisation

Aujourd'hui, on se métisse, on s'internationalise… On ne devient pas un village global, on devient un monde, une nation globale. On a souvent parlé du monde, mais on n'a jamais été un monde. On a été une mosaïque éparpillée en mille morceaux. En fait, ce qui est en train de se passer, c'est que les pièces du casse-tête sont sur le point de se coller. On est en train de devenir un. On est en train de devenir conscients qu'on a toujours été un. On l'a toujours été, sans le savoir. Même lorsque le casse-tête est défait, la possibilité d'imbriquer les morceaux subsiste.

Ceux qui l'ont su les premiers, malheureusement, au lieu de nous en faire part le plus rapidement possible, de nous instruire et de prendre des décisions conséquentes, se sont dit : « Attends, si on répand cette notion, on perd le pouvoir. Qu'est-ce qu'on fait ? Diviser pour régner, ç'a toujours bien fonctionné pour nous. Mais maintenant, on va être obligés de s'unir. Hum… Allons plutôt vers une sorte d'unification dans laquelle on restera les chefs ! » Est-ce qu'on veut ce genre d'union-là ?

Cette mondialisation-là, moi, je n'en veux pas. Je n'ai rien contre la mondialisation ! J'ai quelque chose contre une mondialisation de cet ordre-là, celle dont les dirigeants des grandes entreprises resteront les maîtres, celle dans laquelle ils profiteront encore de l'inégalité, de l'iniquité, du déséquilibre. Celle dans laquelle on dépendra encore d'une élite qui gérera toute la planète, qui vivra très bien pendant qu'une majorité perdra ses terres et mourra de faim. Celle dans laquelle on continuera de cultiver la différence plutôt que de promouvoir l'idée selon laquelle nous sommes un.

Mais si on admet qu'on est un, qu'on est de *la* même *gang*, cela implique que j'ai le droit de m'exprimer au sujet de la décision chinoise et que ma voix doit être entendue. Parce que cette décision m'affecte. Elle n'affecte pas que les Chinois, elle affecte le monde entier. C'est pareil pour la France, pour les États-Unis, pour n'importe quel pays sur la Terre. Donc, si je considère que c'est mieux que ce soit Barack Obama qui accède à la présidence des États-Unis, j'ai le droit de le dire. J'ai le droit de pointer du doigt, et j'ai hâte d'avoir même le droit de voter pour lui.

Je crois qu'on s'en va vers un suffrage universel. On n'aura pas le choix. Tout nous mène à ça. On voit bien les pièces du casse-tête, elles se placent une à une. À un moment donné, ça devient une évidence. Ce qui prend du temps, c'est toute la mécanique à mettre en place pour y arriver, c'est le côté organisationnel qui nous ralentit. Pour la première fois dans l'histoire de l'humanité, le monde entier se retrouve, et les instances qui pourraient nous aider à nous organiser sont contrôlées par des forces qui ne veulent pas d'un changement humain. Le temps est à l'action, au geste, au travail, parce que si on ne bouge pas, on perd tout.

Chapitre 9
LE MINISTÈRE DU GROS BON SENS

Les solutions sont là. Je vous parle de ce que je perçois, des problèmes qui grugent la santé de notre monde, je pose des questions, mais je sais très bien que les solutions sont là. J'ai vu tant de gens découragés. Des gens pour qui la vie n'a plus de sens, des gens qui lancent la serviette, qui se disent que ça ne vaut plus la peine… qui renoncent à avoir des enfants, tant la situation globale leur semble sans issue. « Faire des enfants, facile ! se disent-ils. Mais qu'est-ce que je leur léguerai ? Juste en Afrique, il y a des millions d'enfants qui n'ont pas de parents. Pourquoi j'en mettrais un de plus au monde ? » Et quand on veut en adopter un, grosse connerie, les organismes responsables nous donnent du fil à retordre ! Tout plein de gens veulent adopter, mais non, on leur fait des problèmes.

Mais les solutions sont déjà là. Quand un problème se crée, la solution se crée aussi, automatiquement. La solution est toujours quelque part. Il suffit de vouloir la trouver. Et la solution à la plupart des problèmes se trouve dans le changement de mentalité.

Moi, j'ai toujours rêvé d'un ministère qui s'appellerait le ministère du Gros Bon Sens. Ce que ce ministère aurait pour mandat, c'est aller voir ce qui se passe ailleurs. Il ne tiendrait pas pour acquis que notre problème, nous sommes les seuls à l'avoir. Bien souvent, les problèmes qui surviennent chez nous ont existé ailleurs. Si, vraiment, on va voir ailleurs et qu'on réalise que personne n'a jamais rencontré ce problème avant nous, dans ce cas, il s'agit d'un problème local. Pour le régler, asseyons-nous, créons une commission, penchons-nous sur les facteurs spécifiques qui ont entraîné chez nous cette situation problématique. Et si on va voir ailleurs, encore une fois, et qu'on s'aperçoit que personne n'a trouvé de solution à ce problème, déjà, en prenant contact avec des gens de partout, on entame un dialogue qui est fort susceptible de nous amener vers la solution. Par le simple fait de rencontrer d'autres gens, de leur demander comment ils vivent le problème, d'en discuter, on va trouver la solution.

Ce ministère pourrait aussi s'appeler le ministère de la Meilleure Solution Pour Tous, le ministère de la Recherche de Solutions...

Pourquoi les solutions n'éclosent-elles pas d'elles-mêmes?

Comment se fait-il que des situations globales, comme la mondialisation dont on parle depuis le début de ce livre, puissent évoluer et se perpétuer sans qu'on puisse apparemment rien y changer?

Tout simplement parce que ce processus contribue à enrichir des individus. Ces gens en sont fort heureux et ils ne veulent surtout pas que ça change. Mais on sait déjà que les choses vont changer. C'est une question mathématique. Nous sommes 7 milliards. Il y a à peu près autant d'hommes que de femmes sur la Terre. Si, d'ici 10 ans, chaque femme donnait naissance à trois enfants, nous serions près de 18 milliards à nous entasser sur la planète. Si on dispose d'une certaine quantité d'eau pour étancher la soif d'une certaine quantité de gens, à un moment donné, il n'y en aura plus assez.

En ce qui concerne cette seule situation, il y a plus d'une décision à prendre. Il va falloir y penser. Le contrôle des naissances. Les Chinois l'ont fait. Bon, ça ne s'est pas déroulé comme ç'aurait dû, puisque la tendance sociale était à préférer les garçons, mais d'autres modèles sont possibles. Les familles ont rejeté les filles, et des milliers de petites filles abandonnées se sont retrouvées entassées dans des mouroirs. Mais l'idée de base, c'était d'autoriser la naissance de seulement un enfant par famille, et cette idée n'était pas mauvaise.

Il va falloir instaurer des lois pour gérer tout ça. Quand la Chine l'a fait, tout le monde s'est écrié: «Ils sont fous!» Un instant. La Terre et ses ressources ne sont pas infinies. La planète a une taille, une masse, une surface, et cette surface, elle ne s'étire pas comme du caoutchouc. À un moment donné, il faut arrêter. On ne peut pas être plus qu'un certain nombre de personnes sur la Terre. Nous, humains, avons toujours vécu sans nous imposer de limites concernant la consommation des ressources, la reproduction, etc. On ne peut plus se comporter comme ça. On a géré la Terre comme si elle n'avait pas de limites. Mais tout est quantifiable : l'eau, les éléments chimiques... Donc, tout a une limite. À la seconde où on réalise ça, on doit s'organiser pour éviter d'atteindre cette limite ! Et surtout, pour éviter de la dépasser. Et pour éviter d'en accélérer l'atteinte. On a été totalement à l'encontre de ça. On ne peut pas être trop nombreux sur la Terre, on va s'entretuer.

C'est le même principe qu'avec les villes surpeuplées, mais à plus grande échelle. À la seconde où un territoire est trop peuplé, qu'est-ce qu'on fait ? On commence à s'entretuer, et s'installent la violence, la drogue, toutes les formes d'agression et d'autodestruction... On n'est pas faits pour vivre comme ça. Maintenant qu'on le sait, on doit prendre des mesures tout de suite.

Vous saviez qu'il y a de l'homosexualité chez les rats ? Quand trop de spécimens de cette race se retrouvent confinés au même endroit, plutôt que de se reproduire, ils assouvissent leurs instincts entre mâles. Ainsi, même les rats finissent par contrôler les naissances. Alors, au lieu d'aller copuler avec des femelles et risquer de produire d'autres individus qui auront besoin de nourriture, d'espace et d'eau, les rats mâles copulent entre eux. On peut penser que le contrôle des naissances est contre nature, mais cet exemple illustre bien que même de façon naturelle, les populations animales l'exercent. Instinctivement, les animaux savent quand les ressources menacent de manquer : soit ils se déplacent, soit ils contrôlent leur population.

La nature fait aussi en sorte qu'à la seconde où il y a trop de gens au même endroit, quelque chose naît pour rétablir l'équilibre : une maladie, une catastrophe, etc. La nature se défend. Grâce à l'avancement de notre technologie, nous avons faussé la donne de la sélection naturelle. Imaginons un animal qui viendrait au monde dans la nature et qui serait, par exemple, asthmatique. Dans la nature, puisqu'il ne pourrait contrôler son environnement, puisqu'il devrait fournir des efforts supérieurs à ses capacités afin de se protéger et de se nourrir, puisque, surtout, il ne pourrait avoir accès à des soins médicaux, il mourrait à un âge précoce. Les autres individus de sa meute auraient tendance à éviter de copuler avec lui. Il mourrait alors sans s'être reproduit et, après quelques générations, il n'y aurait plus d'asthmatiques. Le gène de la maladie serait mort avec la lignée d'individus qui en étaient porteurs. Nous, nous avons créé des médicaments, ce qui est extraordinaire et qui fait entre autres la beauté de l'espèce humaine, mais nous avons aussi créé des techniques médicales dans le but de préserver la vie à tout prix…

Dans notre société, au point où on en est, il va falloir envisager différemment les gestes qui consistent à cesser la médication quand il n'y a plus d'espoir de guérison. Nous avons créé des systèmes qui ne fonctionnent pas, qui sont parfois totalement illogiques. Mais on laisse aller, parce qu'il faut préserver la vie à tout prix. Au prix d'enlever la dignité avant d'enlever la vie ? Les hommes et les femmes de ce monde ont droit à la dignité. Surtout quand c'est tout ce qu'il leur reste !

Une grande cure de désintoxication

Quand je regarde aller Barack Obama, je suis en admiration devant son courage. Selon lui, il est dément de se rendre dans d'autres pays pour s'approprier leur pétrole. La solution, c'est plutôt d'arrêter d'être dépendants du pétrole. La base du problème, c'est cette dépendance. Et le pétrole appartient à un nombre limité de gens. Nous sommes donc dépendants de ce nombre limité de gens. C'est de la drogue, c'est un cartel. Et Obama le dit comme ça, tout bonnement ! « Nous sommes des drogués du pétrole. Nous en sommes dépendants, on ferait tout pour s'en procurer. On va même aller en guerre, on est prêts à mourir pour ça. » Ça me rappelle quelque chose. Ça commence à ressembler aux propos d'un type qui fume du crack, vous ne trouvez pas ?

Regardons un peu du côté de Organisation des pays exportateurs de pétrole (OPEP). Ce n'est pas compliqué. Il y a une cinquantaine d'années, un nombre considérable de personnes dirigeaient de petites compagnies productrices de pétrole un peu partout. Ces petites compagnies, c'était la base de l'OPEP. Ces gens se parlaient, établissaient à peu près les prix, et comme il y avait une saine compétition, les prix demeuraient bas. Mais, à un moment donné, tout le monde a acheté tout le monde, et nous nous sommes retrouvés avec sept ou huit compagnies pétrolières. À sept ou huit, pas besoin d'organiser de réunions. Le dirigeant de l'une d'elles appelle ses potes au téléphone et leur dit : « Écoutez, faisons une petite conférence téléphonique. À combien on fixe le prix cette semaine ? Vous avez fait combien, vous, la semaine dernière ? Vingt milliards ? Ah, moi, j'en ai fait vingt et un. Ça vous tente d'en faire vingt-deux ? » Il n'y a plus de concurrence. C'est déjà un monopole.

D'accord, on ne peut pas démanteler l'OPEP. Qu'est-ce qu'on peut faire ? On peut trouver d'autres sources d'énergie et lui tourner le dos. Mais il faut avoir les couilles pour le faire. Il existe une longue liste de gens qui ont créé des alternatives à la consommation de pétrole. Ils ont ensuite vendu ces concepts à des compagnies pétrolières qui les achetaient pour s'assurer que la demande en pétrole ne diminue pas. Des gens devront avoir le courage de révéler ces histoires. Sinon, ça ne changera pas.

Parce que les solutions existent. S'autosuffire, trouver d'autres modes de fonctionnement qui soient plus naturels, plus sains. Ça ressemble drôlement à ce qu'on propose aux toxicomanes. Il nous faut une désintox ? Eh bien, c'est ce qu'on va faire, allons en cure de désintoxication. Est-ce qu'il y a d'autres solutions ? Quelles sont-elles ? On ne peut pas opter pour des solutions irrationnelles du genre : produisons de l'éthanol avec le maïs pour nourrir les voitures au lieu de nourrir les humains. Est-ce qu'il y a un autre moyen ? Est-ce que les automobiles peuvent carburer à l'hydrogène ? C'est quoi, de l'hydrogène ? C'est du H. C'est naturel. C'est un moyen de combustion qui permet à la nature de rester propre. Mais est-ce aussi profitable que le pétrole ? Nous devons dépasser notre folie consommatrice et nous concentrer sur notre survie. Prenons par exemple la voiture *Zero Emission No Noise* (ZENN), un véhicule à basse vitesse 100 % électrique fabriqué à Saint-Jérôme, au Québec. Cette voiture est idéale pour se déplacer en ville. Elle ne fait aucun bruit, ne consomme pas d'essence, a une autonomie de 56 kilomètres, se recharge à 80 % en moins de quatre heures et ne coûte que… 14 000 $! On est loin de la Toyota Prius – fabriquée aux États-Unis, soit dit en passant – qui coûte près de 30 000 $! Il a fallu plus de deux ans au gouvernement québécois pour autoriser la circulation de la voiture ZENN dans les rues de nos villes[3].

Il y a beaucoup d'avancement en Californie concernant les voitures hybrides et électriques, parce que c'est un État qui a de gros problèmes de pollution. Il est au pied du mur. Des gens là-bas se sont mis ensemble pour créer une voiture totalement électrique dont la performance est équivalente à celle de la Porsche 911. Vous savez ce qu'ils ont utilisé comme batterie ? L'équivalent d'une batterie d'ordinateur portable. Avez-vous déjà vu la grosseur de cette batterie-là ? Eh bien, on n'a qu'à en placer 300 côte à côte dans le coffre de l'auto, merci, bonsoir. La voiture a une autonomie de 200 kilomètres. On peut faire plus ou moins le trajet de Montréal à Québec. C'est merveilleux ! On imagine facilement une petite prise sur le côté. Les stations-service ne seront plus des postes d'essence, mais des « stations-batterie ». On trouverait là des batteries déjà chargées. Le conducteur s'arrêterait, il collerait sa voiture à un mur, la vieille batterie sort, clic, une autre entre, clac, et il s'en va. Pourquoi pas ? Ça ne coûte presque rien, et voilà, il est reparti pour un autre 200 kilomètres.

Si on va plus loin, on pourrait même concevoir des « trottoirs-chargeurs » contre lesquels on stationnerait nos voitures rechargeables, comme les bornes à vélo qu'on trouve partout à Paris, et bientôt à Montréal. La borne est électrique. Le vélo a un feu avant, un feu arrière et un sur le côté, pour la sécurité évidemment. Ces phares s'allument tout seuls dès qu'on débranche le vélo. On paye à la borne pour l'utilisation, pour la location du vélo, en quelque sorte. Comme il y a plein de bornes partout dans la ville, on peut prendre un vélo à un endroit et le garer à une autre borne à la fin de la journée. Les vélos sont tous pareils, et ils appartiennent à la ville. Et dès qu'on accroche le vélo à la borne, qui est un électroaimant, non seulement l'électricité actionne un système de verrouillage pour éviter que le vélo soit volé, mais en plus, le contact recharge la batterie.

3. Voir le reportage à l'adresse Internet : www.cbc.ca/mercerreport/backissues.php. *Rick Mercer Report*, CBC, émission du 20 novembre 2007.

En extrapolant, si on conçoit des trottoirs selon le même principe et qu'on y gare les autos pour qu'elles se rechargent toutes seules, ce n'est pas plus compliqué. En fait, le seul moment où il faudrait changer la batterie, ce serait au moment de prendre l'autoroute. Mais en ville, chaque fois qu'on stationnerait notre auto, elle se rechargerait toute seule.

Les solutions existent, c'est possible... et ce n'est pas si compliqué. Par exemple, au lieu d'acheter des voitures ou de les louer, pourquoi ne pas utiliser le principe des vélos ci-dessus mentionné, mais avec des petites voitures électriques comme la ZENN ? Pourquoi posséder une voiture, quand on peut tous avoir accès à un moyen de transport adapté à nos besoins chaque fois que c'est nécessaire ?

Mais certains font tellement d'argent avec le pétrole... Si nous mettons de l'avant les voitures électriques, beaucoup moins d'argent entrera dans les poches de ces dirigeants d'entreprises, de ces *lucky few*. C'est encore la désintox qui entre en ligne de compte.

On peut aussi parler de cigarettes, si vous y tenez. Ça aussi, c'est complètement absurde. J'ai été le porte-parole d'une campagne de promotion contre l'usage du tabac. Dans la cigarette, il y a plus de 4 000 éléments chimiques, alors que la plupart des gens sont convaincus qu'il n'y en a que six ou sept, à cause de la liste des ingrédients imprimée sur les paquets. Parmi ces 4 000 éléments chimiques, au moins une cinquantaine peuvent causer un cancer. À la seconde où commence la combustion, tous ces éléments se transforment et se démultiplient. Et c'est ça qu'on fume. Le goudron porte un seul nom, mais le goudron, c'est en réalité de nombreux éléments chimiques mis ensemble.

La cigarette, on l'a interdite dans les lieux publics, on a imprimé des avertissements sur les emballages et, en même temps, on la subventionne. On subventionne les compagnies productrices de tabac. On recueille les taxes issues de la vente de cigarettes et, en même temps, on scande partout qu'il faut interdire l'usage du tabac parce que c'est mauvais pour la santé. En juin 2007, la Cour suprême, le plus haut tribunal du pays, a débouté les fabricants de cigarettes qui voulaient utiliser le flou dans la loi sur la pub des produits du tabac pour recommencer à en publier. « Le gouvernement peut restreindre la publicité sur le tabac, au nom de la santé publique», disait le jugement de la Cour suprême. Et pendant que le gouvernement «restreint la publicité», il utilise l'argent que génère ce commerce pour paver nos routes. Et même si la pub en est «restreinte», selon moi, le paquet de cigarettes en soi, c'est une pub. Le cacher, c'est affirmer notre hypocrisie envers la situation. La distribution est subventionnée, et les taxes issues de la vente de cigarettes représentent beaucoup trop d'argent pour qu'on songe même à y renoncer.

Des pistes

C'est clair que plusieurs facettes de notre système ne fonctionnent pas. Il y a plein de lacunes comme celle-là. Mais ce sont des lobbies qui ont de l'argent à n'en plus finir qui influencent et gèrent nos vies. Ce sont de grosses compagnies qui n'ont comme but que le profit, c'est là qu'est le problème, c'est là que se bloque l'engrenage de la solution. Pourquoi ne pas mettre des limites à l'envergure, à la taille qu'une entreprise peut atteindre en termes de profit? Pourquoi ne pas limiter la quantité d'argent dont un individu peut disposer et redistribuer les profits aux moins nantis de la planète, par le biais de programmes d'éducation, d'investissements dans la société civile, dans une optique de résolution de problèmes globaux qui demandent que l'on s'y attarde de façon urgente?

Par exemple, on instaure une loi qui dit que le jour où le solde du compte en banque d'un individu atteint 250 millions de dollars, il ne peut plus augmenter. Peu importe ce que ce type gagne en surplus, il est tenu par la loi de le réinvestir, question de se diriger vers un certain équilibre social planétaire. Cet argent supplémentaire ne lui appartiendrait pas, ce serait un réinvestissement. Les 250 millions sont à lui. Mais le reste devrait constituer un réinvestissement, et si cet investissement rapporte au même individu, il le réinvestit à nouveau. Question de créer une circulation économique profitable à l'ensemble de la société. Ce ne sont pas des idées nouvelles, mais des façons de procéder que nous n'étions pas prêts à vouloir mettre en application. Maintenant, nous le sommes. Nous croyions avoir le meilleur des systèmes économiques. Nous savons maintenant que c'est faux. Notre façon de gérer le monde est un désastre, et nous le savons ; c'est clair.

De toute façon, il est difficile d'imaginer que quiconque puisse avoir des besoins supérieurs à 250 millions de dollars. Je pense que 250 millions, c'est une très bonne limite. Donc, on passe une loi qui prévoit qu'au-delà de 250 millions, peu importe ce qui est généré comme profit, on le réinjecte vers le plus bas échelon. C'est au plus bas que ça retourne. Pas au moyen, pas à la moitié. Ça retourne au plus bas. On va construire des logements sociaux, investir dans l'éducation, etc., jusqu'à ce que ce plus bas échelon ait complètement disparu. Jusqu'à ce que le plus pauvre soit aussi riche que le plus riche.

On retourne donc au bas de l'échelle, et on dit à nos jeunes en pleine forme qui abusent de l'aide sociale : « On va vous éduquer. Qu'est-ce que vous voulez faire dans la vie ? On paye votre loyer, on vous nourrit, mais vous allez à l'école. Il y a pas d'excuses. Si vous n'apprenez pas, on ne vous paie pas. » L'aide sociale, en fait, c'est un pas dans cette direction, c'est censé être une façon de réinvestir, pas un accès à la facilité et à l'engourdissement. Si quelqu'un nous dit : « Dans mon métier, il n'y a pas d'emplois. » On lui répond : « Eh bien, choisis un autre métier et va l'apprendre, tu n'as pas le choix. Parce que si tu ne fais rien, dans six mois, je t'enlève ton aide sociale. » Beaucoup de pays agissent comme ça. La Hollande, la Suède... Les gens reçoivent de l'aide du gouvernement à la condition qu'ils fassent quelque chose. On ne leur donne pas d'argent pour rien. Cet argent sert à soutenir les citoyens en attendant qu'ils redeviennent autonomes.

Et on l'a, cette mentalité, ici, dans les Centres locaux d'emploi ! Toutes sortes de programmes existent pour encourager, pour former les gens, et il y a énormément de sollicitation dans les bureaux d'aide sociale. Mais malgré tout, certains individus mal intentionnés et profiteurs (les Bougon de ce monde) se faufilent à travers le système, parce que les mailles ne sont pas assez serrées.

L'aide sociale ne peut pas et ne doit pas devenir une façon de vivre. Et ça l'est devenu pour tellement de gens. Il y a même un lobby pour ça ! Il y a des gens qui travaillent à défendre le droit des assistés sociaux à être des assistés sociaux ! À défendre leur droit de ne rien faire de leur vie !

D'autres pays ont vécu ce problème-là, et ils ont pris les moyens qu'il fallait pour le régler. Ç'a fait en sorte, justement, que leur taux de gens qui bénéficient de l'aide sociale a descendu radicalement. Quand, à la suite de toutes ces mesures, il ne reste plus que 1 % des assistés sociaux qui reçoivent encore un chèque le premier jour du mois, on sait alors que ces gens en ont vraiment besoin. Ça se peut que quelqu'un soit inapte à travailler, il ne faut pas l'oublier. Mais quand on aura élagué, quand on aura éliminé tous les assistés sociaux qui grugeaient les fonds sans aucune raison, on pourra investir dans les soins à apporter à la portion réelle de la société qui est dans le besoin. Et, éventuellement, cette portion aussi pourra à son tour réintégrer le marché du travail.

Comment ont fait les Hollandais pour régler les problèmes liés à la drogue et à la prostitution ? Ils ont mis fin à l'hypocrisie, en désignant un quartier dans lequel il est permis de faire de la prostitution. Mais il n'y a pas de proxénètes. Et les femmes qui se prostituent sont des citoyennes comme les autres, qui participent à l'évolution de leur société. C'est le plus vieux métier du monde ! Arrêtons de faire comme si ça n'existait pas. Mieux vaut établir des règles réalistes et les appliquer intelligemment. Chaque mois, elles doivent aller voir leur médecin. Si elles n'y vont pas, elles ne recevront pas les cartes qui doivent être affichées dans leur local pour attester de leur santé, comme un médecin affiche son diplôme. Elles n'auront alors pas le droit de pratiquer.

Ces femmes sont des professionnelles du sexe. Certaines d'entre elles sont mariées, elles ont des familles ! Allez chercher une prostituée en Hollande, et amenez-la à Montréal, rue Saint-Laurent. Elle sera totalement outrée. J'ai déjà vu un documentaire dans lequel on avait fait précisément cet exercice : on avait invité des prostituées hollandaises à se rendre à New York. Leur réaction, c'était à peu près ceci : « Jamais je ne ferais quelque chose comme ça ! Mon mari ne le permettrait pas ! Je ne comprends pas que les gens puissent vivre comme ça. Mes enfants, qu'est-ce qu'ils penseraient ? ! À moitié nue dehors à 20 degrés sous zéro, à faire des « pipes » à des gens qui ne se lavent pas... Je ne sais même pas s'ils sont propres ! Chez moi, quand un homme entre dans mon local, la première chose que je fais, c'est de l'inviter à aller prendre une douche.

Je vais y aller avec lui, je vais le laver. Il ne se passera rien si le type ne porte pas de condom. On est comme dans une banque : je peux appuyer sur un bouton s'il y a un problème. Il y a toujours des policiers autour, dans le quartier. Moi, je paie mes impôts, je suis une citoyenne comme les autres. Quand je quitte le travail, je vais chez moi, et je m'occupe de ma petite famille. » Est-ce qu'on peut, après avoir entendu ça, regarder cette femme et dire : « C'est rien qu'une pute » ?

C'est une autre façon de faire, une façon de faire plus intelligente. Plus humaine.

Je suis allé quelques fois à Amsterdam. Là-bas, quand on voit quelqu'un fumer un joint dans la rue, on sait tout de suite qu'il s'agit d'un touriste. D'abord, on doit fumer à l'intérieur, dans les bars où c'est permis. Ensuite, tout le monde sait que c'est toléré, mais personne ne fumerait dehors. Pour les Hollandais, il n'y a rien de chic à fumer dans la rue. Fumer un joint, c'est quelque chose qu'on fait dans une certaine intimité.

En fait, ils considèrent le cannabis comme nous considérons ici l'alcool. On ne boit pas une bière dans la rue, mais on prend un verre de vin en groupe, en famille, entre amis. Et si vous voyiez quelqu'un boire sa bouteille de whisky dans la rue, vous vous diriez : « Ah, ça, c'est un *bum*, un voyou ou encore un touriste qui n'a pas compris qu'ici, ça ne se fait pas. » Ça fait partie de notre mentalité, de nos codes, de notre façon de faire.

Toutes ces choses-là sont à changer. Les solutions existent. Personnellement, ce qui m'enrage, c'est que ces solutions-là existent, et personne n'en parle. Pourquoi ? Si on n'en parle pas, c'est que certains doivent retirer des avantages de la situation telle qu'elle est. Est-ce que la prostitution existe ou non au Québec ? Certainement. Alors, pourquoi ne règle-t-on pas le problème ? Pourquoi on n'en parle pas ? Il ne suffit pas d'interdire la prostitution pour régler le problème : elle est déjà interdite.

On parle de légaliser la marijuana depuis combien de temps ? Qu'on arrête de tergiverser et qu'on légalise. Officiellement, dans la rue, on aurait alors le droit de se balader avec une quantité prescrite de cannabis sur soi. Et on aurait le droit d'ouvrir des bars où il serait permis d'en fumer, comme en

Hollande, et on ferait appliquer ces lois. Si certains aspects des lois hollandaises ne nous conviennent pas, on ajuste. Nos gouvernements pourront alors recueillir des taxes issues de ces commerces. Aucun proxénète ne s'impliquera plus dans la prostitution, parce que la prostituée paiera ses impôts, on aura légiféré sur le tarif demandé, sur les conditions dans lesquelles le service est rendu, etc. La prostituée aura alors réintégré la société. Elle aura droit comme tout travailleur respectable de travailler dans des conditions sécuritaires et pourra exiger d'être respectée dans ses droits. En même temps, on règle une partie des problèmes d'ITS, d'hépatites, etc. Ce sont là des gestes progressistes.

La Suisse est un des endroits au monde où les armes à feu sont les plus répandues et, en même temps, la proportion d'accidents liés aux armes à feu n'est pas plus importante qu'ailleurs dans le monde. Pourquoi? Parce que tout le monde sait s'en servir. Il y a une éducation par rapport aux armes à feu. Le service militaire est obligatoire pour tout le monde, hommes et femmes. Tout le monde a fait l'armée. Quiconque a fait l'armée sait se servir d'un revolver. Quiconque sait s'en servir en connaît les dangers. Il faut beaucoup plus qu'un permis pour se servir d'une arme à feu.

Les énergies mal canalisées : le déséquilibre des enfants

On parle de grands problèmes de société, mais il importe de se rappeler que la racine de toute société, ce sont ses enfants qui la composent. Si on veut éduquer la nouvelle génération, lui enseigner l'ouverture et faire en sorte qu'elle aborde l'avenir dans un esprit de solution plutôt que de renoncement, on doit lui donner un équilibre à la base.

Vous remarquerez que la plupart des gens qui font des arts martiaux ne se battent pas dans les rues, mais dans un dojo, sur un tatami et en présence d'instructeurs beaucoup plus sages qu'eux. Avez-vous déjà vu, dans un bar, un type faire des mouvements de karatéka pour provoquer quelqu'un? Jamais. Pourquoi? Parce qu'ils ne se battent pas. Quand quelqu'un se met à se battre, ils s'en vont. Ils se tassent. Les gens que je connais qui font soit du *kickboxing* ou du combat extrême sont parmi les plus calmes que j'ai rencontrés, il émane d'eux ce sentiment de confiance qui inspire le respect. Un ami, qui a été double champion du monde de *kickboxing*, allait se réfugier dans les toilettes si une bataille éclatait quelque part.

Parce qu'il y a dans les arts martiaux une philosophie de l'affrontement physique. Il faut un arbitre, on est dans un ring, et je veux me battre avec quelqu'un qui sait se battre, qui sait ce qu'il fait. Et, à la fin du combat, on se donne la main. C'est un échange, en fait, c'est une façon de communiquer, par la force physique certes, mais de communiquer. Je comprends les gestes qu'a faits mon adversaire, les mouvements, son bras qu'il a placé là, j'aurais peut-être dû bouger ma tête à cet instant-là, il a fait une feinte, etc. C'est comme ça. C'est un jeu d'échecs. Mon ami me disait : « Je n'irai pas frapper quelqu'un qui ne sait pas se battre. Il va me donner un coup de poing, j'ai l'habitude, j'en reçois tous les jours. Je sais comment prendre un coup de poing. J'ai été entraîné à en recevoir. Son coup de poing ne me fera pas mal. À la limite, je lui dirai : "OK, t'es satisfait ? Passe une bonne journée." Et je m'en irai. »

Pour être capable de faire ça, il faut être fort mentalement. Cette force vient aussi de cet entraînement. Se battre dans un bar, de toute façon, ça ne se fait pas. Je porte, au-dessus de mon nez, la cicatrice d'une coupure. Un jour, un type m'a donné, intentionnellement, un coup de tête au visage. Et le nez, ça saigne à mort... J'étais plus grand, plus fort que ce type, je pouvais lui faire très mal. Je savais que je le pouvais. Les gens ont appelé la police, la police est venue. Je n'ai pas porté plainte. Je lui ai seulement fait comprendre qu'il venait de me blesser, de me laisser une marque au visage. Que j'aurais pu aussi lui faire très mal et peut-être même le tuer par accident. Qu'avant d'agresser quelqu'un, il devait au moins se demander pendant une seconde s'il n'y a pas un moyen plus humain de régler la situation autre que la confrontation physique.

Moi, je crois toujours qu'au lieu d'interdire les choses, il faut éduquer. Un parent qui a un enfant violent doit l'envoyer faire des arts martiaux. Aller apprendre les arts martiaux, c'est aller apprendre la discipline. Dès le début de l'apprentissage, le maître va encourager l'enfant à se battre contre des jeunes qui maîtrisent mieux que lui une technique de combat. Il se rendra compte alors de tout ce qu'il a à apprendre. À la seconde où un enfant décide d'apprendre, il a déjà commencé à apprendre. Sa mentalité vient de changer. Il vient de s'ouvrir, et le combat devient un combat intérieur, ce n'est plus qu'un geste physique, c'est devenu un art de vivre, une école de la vie et de son sens. L'enfant découvre aussi la discipline, celle que l'on s'impose. Ça va l'aider dans ses études, dans ses réactions avec les gens, dans ses relations avec les autres, avec les hommes et les femmes qu'il ou elle côtoie. Ça va l'aider à tous les niveaux. Et ça, c'est l'éducation, c'est la discipline, c'est l'ouverture. Et ça va le rendre moins violent.

C'est un effet secondaire automatique... et quand même assez bénéfique! Je considère que dans notre système d'éducation, on devrait avoir des arts martiaux. En éducation physique, on devrait donner aux jeunes le choix d'apprendre le kung-fu, le taekwondo, la capoeira brésilienne, le *yoseikan*... Il y a plusieurs arts; certains sont plus défensifs, d'autres, plus offensifs... Qu'ils choisissent! Il y a le taï chi, aussi. Ça ressemble à de beaux mouvements tout doux, mais ce sont souvent des mouvements de combat!

Quand on interdit toute forme de violence et d'expression physique, ça rejoint toute l'idée de l'euthanasie, l'idée de préserver la vie, de préserver la sécurité des autres en empêchant la violence à tout prix, et on refuse de voir que tous les enfants portent de la violence en eux, ce qui est naturel, violence qu'il faut canaliser au lieu d'opprimer.

Il ne s'agit pas nécessairement de violence, en fait, mais d'énergie. C'est sûr qu'un enfant qui va jouer au soccer tous les jours, une fois à la maison, cette énergie, il n'aura pas besoin de la déverser sur sa petite sœur ni de donner des coups de pied dans les murs. Il l'a sortie, son énergie, il est fatigué, il veut dormir. Il va faire ses devoirs, puis il va aller se coucher. Mais un enfant qui passe sa vie devant le Nintendo et qui ne fait rien d'autre se retrouve prisonnier de ses énergies, et celles-ci seront alors exprimées n'importe comment.

Et il faut aussi enseigner qu'il est naturel d'avoir parfois des réactions violentes. Ça doit faire partie de l'éducation. Il faut faire comprendre aux êtres humains qu'ils ont de l'énergie positive et de l'énergie négative, et que ça se peut que ça sorte. Maintenant, comment les canaliser? Comment les gérer?

Il s'agit de prendre conscience du problème au lieu de tout balayer. Vous avez vu *Orange mécanique*, le classique de Stanley Kubrick? C'en était une belle illustration. Ce film a un peu mal vieilli, mais c'était une belle métaphore de ce dont on parle. Trop de violence, aucune violence: il n'y a pas un de ces deux extrêmes qui est bon, en bout de ligne.

C'est comme dans toute chose: ce qu'il faut trouver, c'est un équilibre.

Pour équilibrer l'immigration

En ce qui concerne l'immigration au Québec, comme on l'a mentionné au chapitre six, il y a des décisions à prendre. Des politiques hyper simples doivent être adoptées, mais on ne le fait pas, on n'ose pas.

Nos gens désertent les régions au profit des grands centres. Il manque donc, en région, de médecins, d'ouvriers, etc. Ce n'est pas le peuple québécois qui va peupler les régions du Québec, on le sait. On aura beau faire trois bébés chacun par année, ça ne comblera pas le manque. Nous sommes 6 millions. Nous avons besoin d'immigrants de façon ponctuelle. Nous avons besoin d'employés pour les 10 prochaines années. On ne peut pas attendre que nos enfants grandissent et qu'ils aient fait l'université; c'est tout de suite qu'on a besoin de gens. Alors, il faut aller chercher des immigrants. Eh bien, on peut peut-être faire d'une pierre deux coups: au lieu de les autoriser tous à s'installer à Montréal, peut-être qu'on pourrait leur dire: «On a besoin de monde en Gaspésie. Si tu viens ici, on est prêts à t'accueillir, mais tu vas passer quatre ans en Gaspésie. C'est comme ça. Sinon, tu ne peux pas t'installer au Québec.» Des gens seront prêts à aller habiter en Gaspésie, à se plier à cette condition. Et quand ils y auront vécu, ils ne voudront plus aller vivre à Montréal. Pourquoi? Parce qu'ils seront devenus des Gaspésiens.

L'humoriste Boucar Diouf, par exemple, pourrait vivre à Montréal! Il travaille là, c'est là qu'il tourne ses émissions de télévision. Mais il retourne toujours à Rimouski. Pourquoi? Il a étudié là, c'est là qu'est *sa gang*. Quand il va en visite chez lui au Sénégal, il a hâte de revenir au Québec. Pas à Montréal, à Rimouski. C'est chez lui. Il veut voir le Bic, il veut voir le fleuve, il veut voir *sa gang*, il veut aller prendre une bière avec ses amis, il connaît les élèves et les profs de l'UQAR, il connaît les gens de là-bas. Quand les agences de pub font la promotion culturelle et touristique de Rimouski, c'est une photo de lui qu'elles mettent sur l'affiche, parce que maintenant, c'est chez lui ! C'est quand même extraordinaire !

J'ai rencontré des gens à Québec, des Arabes, des gens d'Afrique du Nord, d'un peu partout, et ils me disaient : « J'adore Montréal, mais ça fait cinq ans que je vis à Québec, j'aime Québec, c'est plus tranquille. Je suis content d'aller à Montréal ; j'y vois toutes sortes de gens qui viennent de partout. Mais Québec est en train de changer tranquillement aussi. Et quand je retourne à Québec, j'ai la tranquillité, j'ai la paix. Je sais que ce serait peut-être plus payant de travailler à Montréal, mais je suis tellement bien à Québec. » Ce sont des choses que disaient des gens de Québec dits « pure laine » ; maintenant, on l'entend de la bouche des immigrants qui s'y sont installés. Ça veut dire quoi ? Ça veut dire que nous sommes tous les mêmes. Les mêmes choses nous touchent. On a le même discours ! Le même !

Il va falloir encourager les immigrants à s'installer en région. Ça devient essentiel. Un bel exemple de réussite : l'entreprise Acier Hason, de Berthierville, a dû recourir au recrutement international parce qu'elle n'arrivait plus à trouver de la main-d'œuvre locale. On a présenté ces événements dans un reportage à Radio-Canada. Ça a commencé par 10 soudeurs qui sont arrivés du Costa Rica au début de l'année 2008. Et ce ne sont pas des travailleurs saisonniers ! Ils sont qualifiés, ils gagnent le même salaire et jouissent des mêmes avantages sociaux que les autres employés de l'usine. La ville de Berthier s'implique pour aider ces gens, et ceux qui suivront, à s'intégrer, à se loger, à apprendre la langue et, éventuellement, à obtenir la citoyenneté canadienne et québécoise. La ville voisine, Rawdon, qui a une longue expérience en intégration d'immigrants (on y a fondé le premier Conseil interculturel de municipalité rurale au Québec), donne un coup de main aux gens de Berthier, et ces 10 premiers travailleurs immigrants s'emploient aujourd'hui à faire venir ici leurs familles.

Quand un modèle fonctionne, pourquoi on ne le reproduit pas ? Certains peuvent croire que c'est réducteur d'empêcher quelqu'un d'aller vivre à Montréal. Mais non ! Dans les grands centres, on a la main-d'œuvre, on n'a besoin de personne. Il y a assez d'assistés sociaux comme ça. C'est en région qu'il y a de la place, qu'il y a des besoins ! C'est là qu'il y a de *la job* ! N'envoyons pas nos immigrants à un endroit où ils seront malheureux ! Payons leurs études et donnons-leur un boulot d'avance.

Même un non-immigrant de Montréal qui voudrait travailler, par exemple, en éducation, sans avoir fini son baccalauréat, pourrait partir pour la Gaspésie demain matin et se trouver un emploi d'enseignant. Pourquoi ? Parce qu'il manque de profs là-bas. En plus du salaire, on lui donnerait une prime d'éloignement…

On ne parle même plus d'immigration. On parle d'aller là où il y a des besoins. Et quelle instance gouvernementale pourrait décider de trancher, enfin, et d'encourager la transmission de ce genre de mentalité ? Le ministère du Gros Bon Sens. Pourquoi ne pas instaurer des politiques en ce sens, des politiques claires, de gros bon sens, d'intelligence, d'ouverture même ? Toutes les régions du Québec se développeraient en même temps, et tout le monde jouirait du fait que des immigrants arrivent. Et, en même temps, on réduirait des problèmes liés à la promiscuité, au chômage, etc.

On changerait également la mentalité de gens à l'esprit fermé qui seraient capables encore aujourd'hui de rejeter quelqu'un sous prétexte que sa peau n'est pas de la même couleur que la leur. Tout ça, pourquoi ? Parce que ces gens ne connaissent personne, ne côtoient personne qui vienne d'ailleurs. Le jour où il y aura des étrangers partout autour de chez eux, leurs préjugés commenceront à tomber. Et bientôt, ces étrangers ne le seront plus, ils seront des Québécois. Ces immigrants, ceux qu'on accueille ici, ce sont des gens instruits qui ont de l'argent, qui vont à l'école et qui viennent faire un boulot que les « pure laine » ne font pas toujours. Ça suffit, les préjugés ! L'immigrant vient occuper un poste dont vous ne voudriez pas, et il a la formation pour le faire. Ce n'est pas un voleur ! Ce n'est pas un bandit ! C'est un universitaire ! Il ne vient pas ici pour « voler nos femmes », il arrive avec sa famille ! Et plus c'est comme ça, plus on est mélangés. Ainsi, les enfants grandissent, et son fils mariera un jour ma fille, et c'est comme ça.

Il va falloir que des politiciens soient prêts à dire haut et fort ce que je suis en train de dire là. Oui, on en veut, des Africains qui deviendront de bons citoyens québécois, pas de problème. Mais on les veut aux Îles-de-la-Madeleine. Ça ne leur dit rien d'aller vivre aux Îles-de-la-Madeleine? Eh bien, qu'ils ne viennent pas ici. Et il n'y a rien de mal à ça.

Ce que je dis n'a rien à voir avec le racisme. C'est ça, le besoin. À la seconde où on se met à penser en humain, il ne s'agit plus de racisme. Il faut qu'on commence à fournir aux gens une éducation qui consiste à penser humain.

Jusqu'à oublier la couleur? Non, il ne faut pas l'oublier. Il faut simplement comprendre d'où elle vient. Quand je rencontre quelqu'un, je vois sa couleur. Mais je la comprends. Et elle n'a rien à voir avec le reste. Et elle ne va pas biaiser mon jugement, parce qu'elle n'a rien à y voir. La seule évocation que je pourrais en faire dans une conversation, c'est de souligner que cette personne, une Blanche par exemple, est plus sensible au soleil que moi, parce que sa peau produit moins de mélanine. C'est tout. Elle n'a pas eu besoin de mélanine, donc sa peau n'en a pas. Dans 30 000 ans, quiconque restera le moindrement longtemps au soleil deviendra noir. La peau va se protéger avec le temps.

Mais on peut accélérer le processus: on peut se métisser. On peut régler le problème bien plus vite! Le fils de cette femme blanche peut être brun comme moi. Pour ça, elle doit épouser un Noir.

Et on ne parle que de physiologie, de protection physique. On aime nos enfants, on veut qu'ils soient bien, qu'ils soient plus forts, qu'ils soient prêts pour le futur. L'avenir, c'est le réchauffement de la planète. Il va faire chaud, et il va y avoir beaucoup de soleil. On veut protéger la peau de nos descendants? Mélangeons-nous. C'est aussi simple que ça!

C'est encore une question de changement de mentalité. Et ça se change, les mentalités. Prenons une famille qui provient, par exemple, du Saguenay. Une famille raciste, ou plutôt xénophobe, parce que ses membres ne savent pas ce qu'est un Noir, ils n'en ont jamais vu, jamais rencontré. Une des filles, incapable d'avoir naturellement un enfant, adopte un petit bébé africain. Au début, la réaction des parents sera peut-être: «Ostie», elle a adopté un petit nègre, «tabarnak».» Mais les membres de la famille vont jouer avec l'enfant, le prendre sur leurs genoux, s'amuser avec lui, en prendre soin et, six mois après, si quelqu'un insulte leur petit, si quelqu'un fait preuve d'intolérance envers lui, ils vont lui arracher la tête. Parce que l'enfant est devenu leur petit-fils, leur neveu, leur cousin. C'est là qu'ils réaliseront que les liens familiaux, les liens humains, ce n'est pas une question de couleur. Le vaccin est assez efficace ! C'est la nature qui fait son boulot, en somme, et contribue à nous rapprocher de la solution.

La plupart des gens s'ouvrent l'esprit et cherchent, cherchent à comprendre. C'est le dialogue qui permettra l'acquisition de ces connaissances qui, aujourd'hui, devraient déjà faire partie de notre programme d'éducation. Juste en étudiant les rudiments de l'histoire de l'origine humaine en ayant pour base l'ADN, il est assez facile de comprendre qu'on vient tous du même endroit. Et ce n'est surtout pas difficile à expliquer.

À l'époque de Léonard de Vinci, c'était moins évident, on ne connaissait pas l'Autre, on ne savait pas, on n'avait pas les moyens de traverser les océans. Aujourd'hui, non seulement on a les moyens de se rendre de l'autre côté, mais on n'y est même plus obligés. Il est possible de rester chez soi et de connaître l'Autre quand même. Ce serait une folie de ne pas le faire. Comme dit Bob Marley dans sa chanson « Rat race » : « *In the abundance of water the fool is thirsty* » (« alors qu'il y a de l'eau en abondance, le fou a soif »). Aujourd'hui, alors qu'il y a une facilité d'accès au savoir comme jamais auparavant dans l'histoire de l'humanité, il serait fou de mourir idiot.

Et il ne s'agit pas seulement de connaître l'Autre, mais aussi de se connaître soi-même, de se former soi-même. Est-ce qu'on suit des cours de responsabilité civique ? Est-ce qu'on sait seulement ce qu'est la responsabilité civique ? Est-ce qu'on sait ce qu'est un citoyen ? Quelles sont les responsabilités d'un citoyen ? Le droit de vote, par exemple, ce n'est pas qu'un droit, c'est une responsabilité, c'est un devoir.

On n'en parle que peu à l'école. Si on enseignait à nos jeunes que nous sommes tous interreliés, et que chaque geste qu'on fait se répercute sur le reste du monde, ça orienterait tout notre apprentissage de la notion de citoyenneté. Si on enseignait à nos enfants que nous sommes tous les mêmes, alors, vraiment, on pourrait espérer avancer tous ensemble vers des solutions, vers un monde meilleur.

CONCLUSION

J'ai écrit ce livre parce que je me pose plein de questions, parce que j'entends plein de questions autour de moi, je ressens, j'entends plein de malaises, et ces malaises concernent ces questions-là, qui ne sont bien souvent pas posées ouvertement ni directement, qui sont souvent biaisées parce qu'un Blanc n'a pas le droit de dire ça, un Noir n'a pas le droit de dire ça, un Québécois n'a pas le droit de se mêler de ça… Qui suis-je, moi, pour vouloir aller donner un coup de main à la campagne électorale de Barack Obama aux États-Unis? Je suis un citoyen qui, pendant les quatre années de son règne, s'il est élu, subira les conséquences de ses gestes.

Le métissage, à plusieurs niveaux, c'est un équilibre, c'est la rencontre. La rencontre, c'est l'amalgame, c'est découvrir que l'Autre est nous et que nous sommes l'Autre. C'est oublier le un pour devenir multiples, pour devenir nous. C'est reprendre le pouvoir sur le tout. Chaque chose, chaque geste touche tout le monde. Et tout le monde a le droit de se prononcer sur chacun de ces gestes. C'est ça, le vrai village. Vous êtes l'enfant du village, vous êtes l'enfant de toute l'humanité. Quand vous faites une erreur, un autre a le droit de vous arrêter. «Hé, t'es pas mon père!» dira un enfant que je tenterais d'aiguiller vers le bon chemin. «Je ne suis pas ton père, mais si je te lâche, tu te fais frapper par la voiture! Je fais quoi? Je te laisse aller et je passe le reste de ma vie à me dire que j'aurais pu te sauver la vie?» La notion de responsabilité est la chose la plus libératrice qui soit.

Les questions qu'on se pose aujourd'hui nous arrivent avec des siècles de retard. Nous avons les outils nécessaires pour extrapoler, pour prédire qu'on s'en va dans une direction précise, pour comprendre que tout le monde influence tout le monde. C'est sûr que nous avançons vers le métissage, vers l'idée d'unique, vers une plus grande ouverture à l'Autre. On n'a pas d'autre choix. Parce que si on ne va pas vers ça, ce n'est pas à une grande révolution de la pensée humaine que nous assisterons, mais à une grande révolte. Si on ne se pose pas ces questions-là plus rapidement, si on n'accélère pas le processus de changement de nos mentalités dépassées, il va y avoir des guerres. Albert Einstein a dit un jour : « Je ne sais pas avec quelles armes on se battra lors de la troisième guerre mondiale, mais je sais avec certitude que la quatrième guerre mondiale se fera avec des bâtons et des pierres ». J'ai l'impression que c'est vers ça qu'on va. Et je ne trouve pas que cette perspective soit des plus réjouissantes.

Il va falloir qu'on se réveille. Oui, le bateau fonce vers la rive, on le sait. Il faut faire volte-face le plus rapidement possible, il faut changer nos mentalités. Ça passe par l'éducation, par la prise de conscience de ce qui se produit autour de nous, par la responsabilisation de chacun des êtres humains sur cette planète. Vous ne pouvez pas vous responsabiliser si vous ne savez pas quelles sont les responsabilités qui vous reviennent, alors vous devez vous informer. Une fois que vous aurez compris, il faudra poser les gestes nécessaires.

Et c'est pour ça que j'écris ce livre. C'est mon geste. C'est ma façon de dire : « Hé, *gang* ! Je sais que je ne suis pas seul à penser comme ça. Alors réveillons-nous et agissons ! »

Ce livre-ci ne sera pas de trop. Si quelqu'un d'autre écrivait le même livre l'année prochaine, celui-là ne serait pas de trop non plus. Il faut qu'on entende ce message de plus en plus. Je suis conscient que beaucoup d'éléments de mon discours sont redondants, mais, apparemment, ils n'ont pas été assez répétés, parce qu'on ne fait toujours pas ce qu'il faut ! Parfois, ce sont même de grandes évidences, des lieux communs ! Pourquoi alors ne bougeons-nous toujours pas ?

Plutôt que de se pencher durant des décennies sur les problèmes, il va falloir bouger. Plutôt que de se contenter de jeter à la poubelle les systèmes et les institutions qui s'avèrent inefficaces, il va falloir regarder les modèles qui fonctionnent et les généraliser. Il va falloir s'ouvrir à une autre manière de gérer nos écoles, nos gouvernements, nos institutions. On ne peut plus établir chaque fois un comité et une commission dont les délibérations dureront un an. Le temps est un luxe qui ne nous est plus accessible. On n'a pas 100 ans. C'est là, c'est ici, c'est tout de suite que l'on doit prendre des décisions et agir. C'est maintenant. Nous ne pouvons nous appuyer seulement sur les legs de nos prédécesseurs. Si, dans le passé, ils avaient pris de si bonnes décisions et avaient fait preuve d'une si grande sagesse, notre planète ne serait certainement pas ce qu'elle est aujourd'hui. Ne vous gênez donc pas pour aller vers de nouvelles solutions et délaisser les grands courants qui nous ont menés à cette situation critique.

L'ère des grands hommes

Nous sommes à la période des grands hommes. De grands hommes avec un grand H, de grandes dames aussi. De grandes femmes. Nous sommes à la période des gens d'action. Nous ne sommes plus à la période de la réflexion. Je ne dis pas qu'on doive agir sans réfléchir. Je dis que le temps de s'asseoir pour réfléchir longuement est passé. À plein d'égards, c'est déjà trop tard. Nous sommes à l'époque des grands hommes, des grandes dames, des gens d'action. Des gens qui accomplissent des gestes et les assument, et qui sont responsables de ces gestes.

Il faut y aller. Il faut sortir dans les rues. Il faut gueuler. Il faut prendre notre petite famille par la main, sortir et gueuler, crier et agir. Il faut voyager, rencontrer les autres, parce que les autres sont nous, parce que nous sommes ces autres. Il faut nous mélanger.

Et on peut même en faire un objectif de carrière! Chacun a le droit d'exercer le métier de son choix. «Pourquoi j'apprendrais à faire des routes? se disent certains. On en a, au Québec, des routes, il y en a partout, et plein de gens en font, c'est un domaine où il n'y a plus de besoins.» Mais on a besoin de routes en Afrique. Apprenez à en faire, et allez vous installer en Afrique. Il n'y a plus de raison de ne pas le faire. Il ne faut plus avoir peur de dire à votre entourage: «Je vous adore, mais avec ma petite famille, on s'en va vivre en Afrique», simplement parce que le jour où vous vivrez en Afrique, quand il se produira quelque chose là-bas, ça va inquiéter ceux de vos proches qui vivront toujours ici.

On va devoir commencer à penser comme ça. Globalement. On va devoir comprendre que les problèmes n'ont pas à survenir dans notre cour pour qu'on essaie de les régler. Je le répète : selon moi, le Québec doit devenir l'école du monde. Nous devons devenir une école pour le monde. Nous avons l'infrastructure pour ça, nous avons les connaissances, nous avons l'imagination pour le réaliser. Les domaines qui constituent nos plus gros problèmes, l'éducation et la santé, devraient pourtant être nos plus grandes forces. Nous devrions devenir l'hôpital du monde. Nous devrions nous associer à d'autres, comme Cuba ou des pays d'Amérique du Sud par exemple. On devrait s'associer à eux, parce qu'ils réussissent et réussiront malgré tout.

Cuba est reconnu mondialement pour son système de santé. Les chiffres le démontrent : la mortalité infantile à Cuba est de 5,3 pour 1 000 habitants. Au Canada, elle est à 5,5 et aux États-Unis, à plus de 8 par 1 000 naissances. L'espérance de vie des Cubains dépasse celle des habitants des États-Unis. Plusieurs hôpitaux cubains ont la reconnaissance ISO 14 001 et ISO 9001, qui sont des normes internationales d'excellence relatives à l'hygiène, à la sécurité et au contrôle global de la qualité. Plusieurs hôpitaux de pays occidentaux n'offrent même pas ces critères d'excellence[4].

Le pays où il y a le plus de gens instruits par habitant, c'est Cuba. Tout le monde sait lire à Cuba. Le taux d'alphabétisation des hommes est de 97,2 %, celui des femmes, de 96,9 %, pour un total de 97 %. Pour les fameux plus grands et plus beaux pays du monde, le Canada et les É.-U., ce n'est pas ça ! Selon l'Enquête internationale sur l'alphabétisation et les compétences des adultes, réalisée en 2003 par le gouvernement du Canada, 48 % des Canadiennes et Canadiens de 16 ans et plus ont un niveau d'alphabétisation et de compétence en lecture et écriture inférieur au seuil jugé souhaitable pour fonctionner dans notre société et accomplir leur potentiel. Au Québec, ce taux s'élève à plus de 54 %. Ça représente environ 3 millions d'adultes de 16 ans et plus, parmi lesquels on compte 1,3 million de personnes ayant de très grandes difficultés avec la lecture...

Et tout le monde mange à Cuba. Ses habitants ne mangent pas beaucoup, mais ils mangent ! Tout le monde.

---

4. Source : site Internet de Services Santé International (S.S.I.) : www.hsi-ssi.com.

On a des choses à apprendre de ces gens-là. Nous devrions avoir, dans le cabinet du Premier ministre, un ministre du Gros Bon Sens qui se rendrait chez ces gens et leur dirait : « Apprenez-nous des choses. Nos universités peuvent-elles s'associer aux vôtres ? Vous pourriez devenir l'école du monde, mais vous êtes tout petits. Nous, on a l'espace pour le faire. On pourrait partager ! Nos universités pourraient s'unir ! » On va être obligés de faire ça. On doit regarder autour de nous et dire : « J'aime bien ce qui se passe au Brésil. Reproduisons certains des modèles que ses habitants ont établis et offrons-leur certains des nôtres. Essayons d'emprunter des éléments à leur façon d'enseigner, à leur façon de vivre, partageons nos acquis, nos compétences. »

Le problème du riz, par exemple, n'a aucune raison d'être, parce qu'il ne découle pas d'une suite logique d'événements. En Haïti, on a les terres où faire pousser du riz. Mais le riz haïtien coûte trop cher pour les Haïtiens. Ce n'est pas logique. Les Américains subventionnent la production de riz au Texas, alors que le territoire, au Texas, ne devrait pas permettre la culture du riz. Mais le Texas a dit aux Haïtiens : « Ne faites plus pousser de riz : nous, on va vous le vendre moins cher. Même si vos terres sont faites pour ça, on s'en fiche, faites autre chose. Quittez la nature. Faites quelque chose qui n'est pas naturel dans votre région. »

À un moment donné, il faut avoir le gros bon sens d'admettre que ça ne marche pas. Qui va s'opposer à ce que bougent les choses ? Un organisme comme l'Organisation mondiale du Commerce (OMC) qui met le commerce au premier plan, au risque de détruire la nature ? « Ah, ce n'est pas notre problème ! diront les membres de l'OMC. Nous, on s'occupe du commerce. L'environnement, que quelqu'un d'autre s'en occupe. Ce n'est pas notre affaire. » Eh bien, non ! C'est la même chose !

Tout ça nous ramène à la surspécialisation dont on parlait au chapitre cinq. C'est pour ça que nous devons comprendre que tout est interrelié. Pour moi, les bases sont là. Toute cette incohérence, il faut la régler. Et c'est évident qu'il va nous falloir des gens courageux, des gens qui n'auront pas peur de risquer leur vie pour le faire. Ce ne sera pas facile de dire à l'OMC : « Vous ne faites pas votre *job*, alors on va vous démanteler. » Bonne chance !

Ce sera là le rôle de nos grands hommes, de nos grandes femmes.

Et la première barrière qu'ils devront franchir, ce sera celle des médias. Parce que, bien souvent, les médias, ils appartiennent aux puissants. Ils rejoignent le monde entier pour lui raconter... bien souvent, n'importe quoi.

Je vous donnerai l'exemple du documentaire relatant d'heure en heure le coup d'État contre Hugo Chávez, le président vénézuélien[5]. Deux réalisateurs irlandais, journalistes de la chaîne irlandaise Radio Telifís Éireann, se trouvaient au Venezuela pour tourner un documentaire au sujet de Chávez. En avril 2002, au moment du coup d'État – orchestré par les cadres supérieurs de la compagnie pétrolière vénézuélienne ainsi que par une poignée de dirigeants militaires qui jouissaient du soutien des chaînes de télévision privées, et avec le soutien présumé de l'ambassade des États-Unis à Caracas –, les deux journalistes se trouvaient au palais présidentiel, à Caracas. Leur film présente la chronologie du putsch et de la mobilisation de milliers de Vénézuéliens et de la garde présidentielle, qui ont fini par entraîner le retour au pouvoir d'Hugo Chávez, 48 heures après le début du coup.

Les chaînes d'information ont manipulé des images du carnage afin de faire passer les partisans de Chavez pour des tueurs. On voyait ces partisans, sur un pont, tirant vers la rue sous eux, et on collait tout de suite une image de la rue envahie de gens. Dans les faits, les partisans de Chávez tiraient dans une rue vide, tentant de se défendre contre des tireurs embusqués... qui leur avaient tiré dessus les premiers. Les deux documentaristes, qui étaient sur place et filmaient tout, ont révélé la supercherie.

Pendant la guerre du Golfe, on en parlait aussi : l'information qu'on nous présentait n'était pas représentative de la réalité. Durant la guerre du Vietnam, bien des années auparavant, c'était la même chose.

Ces événements, qui ont eu lieu au Venezuela en 2002, ont donné toutes les libertés au président Chávez. Il a pu s'ouvrir et dire : « *Bush is the devil.* » Mais, chose qu'on ne sait pas, Chávez a fourni de l'électricité aux États-Unis à plusieurs endroits. Il a

5. *The Revolution Will Not Be Televised – Coup d'État contre Chávez*. Kim Bartley et Donnacha O'Briain, produit par David Power. ©Arte 2004,www.chavezthefilm.com.

même envoyé de la nourriture au moment de l'ouragan Katrina, en 2005. Il a envoyé des gens, des médecins, de l'aide. C'est drôle, hein? Le gouvernement vénézuélien était prêt à aider les Américains, malgré l'implication présumée de leur ambassade dans le putsch de 2002. Parce qu'il sait fort bien que les événements qui affectent le peuple n'ont rien à voir avec l'imbécile qui est au pouvoir.

Et ça, on n'en entend pas parler, jamais de la vie. Mais il y a des documentaires là-dessus, il y a des choses qui sont sorties. C'est juste qu'on n'en parle que tout bas.

Le monde a changé, change, et va changer de plus en plus rapidement. Et on ne peut plus aujourd'hui continuer à vivre en pensant que les autres ne voient rien, ne savent rien, ne réalisent rien, et en pensant qu'ils vont rester dans l'inaction, qu'ils vont laisser aller. Parce qu'il y a des gens en haut qui, eux, ont décidé d'agir pour préserver leur propre façon de vivre, pour préserver leur luxe et leur confort. Ce que dit Bush, c'est: « Je fais ça pour mon peuple! Je protège notre façon de vivre. » Mais pour protéger son *way of life*, il doit tuer les autres, les détruire, les laisser mourir de faim? Aujourd'hui, tout le monde connaît la vérité. La vérité est accessible. Des habitants de tous les pays peuvent savoir que leurs dirigeants sont des pantins, et qu'un autre, ailleurs, tire les ficelles de leur réalité.

Ce n'est plus seulement le combat de l'Africain, du Chinois, de l'Haïtien. C'est le combat de tous. Il faut s'éveiller à cette réalité-là. C'est tout ce que je suis en train de dire. Il faut s'éveiller à cette réalité-là, descendre dans la rue et gueuler, et provoquer de grands changements.

Et ces changements, ils peuvent venir de vous.

Il faut qu'on réalise notre pouvoir en tant qu'individus. Quand des énormités se produisent chez vous, il faut que vous sortiez. Vous ne pouvez pas rester assis à regarder tout ça se dérouler devant vos yeux, sans rien faire. « OK, Bush a triché pour gagner, puis il a envoyé du monde à la guerre. Normalement, s'il avait perdu, ces soldats n'y auraient pas été envoyés. En fin de compte, c'est un criminel. Il est responsable de la mort de ces soldats. » La guerre en Iraq a fait entre 100 000 et 300 000 victimes civiles irakiennes, en plus de tuer 4 000 soldats américains. Cette guerre a tué tous ces gens. Pour rien. Pendant tout ce temps, Bush a clamé qu'il se battait pour la justice. Et moi, je ne vais rien faire?

La guerre en Iraq aura tout de même servi de réveille-matin pour beaucoup de gens qui n'étaient pas conscients que les choses pouvaient aller jusque-là…

Alors, tant qu'à se faire diriger par quelqu'un sans même qu'on ait voté pour lui, eh bien, unissons-nous, votons et soyons clairs. Tout le monde ensemble pour tout, partout. Et sachons ce qui se passe, ce que nous faisons. Créons cette association de villages. Éduquons-nous. Métissons-nous. Que notre race devienne réellement la meilleure.

Le temps n'est plus aux politesses. Levons-nous de nos fauteuils et faisons quelque chose. Il faut être capable de le dire et de l'assumer. Je travaille depuis que j'ai l'âge de 12 ans. Je sais ce que c'est que de travailler, je viens d'un pays pauvre. Je n'avais rien, et je suis parvenu à me rendre là où je suis aujourd'hui. J'ai commencé ma vie à un échelon beaucoup plus bas que celui où se tiennent la plupart des gens qui ne bougent que pour clamer qu'il n'y a plus rien à faire, qu'il vaut mieux abandonner et se geler la tête en attendant la fin du monde, et je ne suis certes pas le seul. Ça veut dire quoi? Ça veut dire qu'aucune excuse ne tient plus la route maintenant.

Peut-être que si j'étais le fils d'un riche milliardaire, si j'avais étudié dans les meilleures universités, si j'étais né riche, je ne me permettrais pas de m'exprimer en ces termes, mais ce n'est pas le cas. Je prends le droit de vous dire tout ça, comme bien d'autres. J'ai le droit de vous le dire, et je vais vous le dire. Réveillez-vous, faites quelque chose, et ne me dites pas que vous ne pouvez pas. Ce n'est pas vrai. Il y a des gens qui viennent d'endroits pauvres, qui n'ont rien eu. Malgré ça, ils ont en main tous les moyens: j'en suis la preuve. Les 500 jeunes avec lesquels j'ai marché dans les rues de Québec lors de la marche mondiale des jeunes 2008 venaient de 110 pays et font tout pour changer le monde, alors à votre tour!

Des gens sont arrivés au Québec et ailleurs dans d'autres pays développés, après vous, sans éducation, sans un sou en poche, et aujourd'hui, ils travaillent, ils sont instruits et leur famille l'est aussi. Alors, arrêtons de dire que les immigrants qui arrivent au Québec ou ailleurs sont des paresseux qui vivent de l'aide sociale et ne foutent rien, ce n'est pas vrai.

Mélangez-vous à eux, rencontrez-les, apprenez d'eux comme ils apprennent de vous, instruisez-vous. Faites ce que vous avez à faire. Et je le dis autant aux Québécois de souche qu'aux immigrants qui viennent au Québec et ne foutent rien, parce qu'il y en a. Parmi les gens qui viennent d'ailleurs, il y a du bon et du mauvais, il y a des intelligents et des cons, et il y en a de partout. Les cons, je ne les aime pas non plus, peu importe leur couleur. Ce n'est pas une question d'immigration, c'est une question de nature humaine.

Et l'avenir de la race humaine se trouve dans le mouvement, dans l'action. Dans le courage d'en avoir assez, et de prendre la décision de faire bouger les choses. Dans un grand métissage biologique, idéologique, culturel. La courtepointe globale, on peut tous s'enrouler dedans, et nous y serons tous bien au chaud, bien à l'abri. À partir de là, à partir de cet endroit où nous serons tous ensemble, nous pourrons enfin avancer. Il n'y a plus de temps à perdre.

MA RACE EST LA MEILLEURE

Ma race à moi est la meilleure
Plus belle, plus svelte, mieux adaptée
et plus coriace que toutes les autres

Moi, j'ai tout fait et tout vécu
C'est par mes yeux que tout existe
Oui, par mes mots que tout subsiste
Je suis l'ultime créateur
Pour ainsi dire, j'ai tout créé
Dieu et sa paix, Dieu et ses guerres
Sa bonté, ses sautes d'humeur, sa toute-puissance
C'est encore moi et toujours moi

Puis son ennui dans l'Éternel
Son idée de me façonner à son image
Pas mal non plus, c'est un indice plutôt banal
Si les chiens engendrent des chiens, les lions, des lions
Les dauphins, des dauphins et ainsi de suite…
Que pensez-vous qu'engendre Dieu ?
Des dragons fous et des big bang
De toute façon, moi, j'ai raison
Tout le monde a tort et je me tue à me montrer
Pourquoi ma raison est la bonne
Car c'est la raison du plus fort
C'est la raison du vivant
Enfin, les morts ont toujours tort

Je suis la peste et son remède
Je suis Jésus et Mohammed
Je suis la rose dans ses épines
Je suis Marx qui baise Lénine
Je suis le flingue qui prône la vie
Je suis ce kirpan d'harmonie
La lame qui tranche d'amour

Je suis l'hassidique troubadour
Le AK47 du bonheur
En bandoulière sur votre cœur

Je suis un grand génocidaire
J'aime la vie, je suis suicidaire
J'ai créé les mathématiques
Le théâtre et puis la musique
Les sciences occultes et empiriques
Je suis le sel des mers d'Afrique
Mâle et femelle, gai et lesbienne
Je suis nègre blanc d'Amérique
Un bon Aryen, un péril jaune
Un Peau-Rouge et un *redneck*
Intolérant, ouvert, raciste
Avec ma foi, j'aime mon prochain
J'aime les miens, j'excise les plaisirs à venir
Je suis gardien du devenir
Manipulateur de l'oubli
Du consommateur averti

Je m'aime athée et philosophe
J'aime à voir le pouvoir des autres
Je suis seigneur, je suis apôtre
Je viole mes femmes et mes enfants
Que j'aime aussi plus que moi-même
Je tue par plaisir, par passion, par folie
Par amour, par dévotion, par accident
Comme j'aime donner la vie
Je suis l'animal raisonnable
Quand la raison me fait faux bond
Ma race à moi est la meilleure
Je suis unique
Je suis humain

LUCK MERVIL

La production du titre : *Ma race est la meilleure* sur 5 775 lb de papier Silva Enviro 120M plutôt que sur du papier vierge aide l'environnement des façons suivantes :

Arbres sauvés : 49
Évite la production de déchets : 1 415 kg
Réduit la quantité d'eau : 133 841 L
Réduit les matières en suspension dans l'eau : 9,0 kg
Réduit les émissions atmosphériques : 3 107 kg
Réduit la consommation de gaz naturel : 202 m³

MARQUIS
Marquis imprimeur inc.
Québec, Canada
2008